指1本で
作業効率がぐんと上がる！

人生を変える

Excel
の
神スキル

Excel医

JN039061

KADOKAWA

## 突然ですが、質問です。

## 「Excelを使っていますか？」

おそらく多くの方の答えがYESでしょう。ではもう1問。

## 「Excelをちゃんと学びましたか？」

どうですか？　NOではありませんか？


このページを読んでくれている人は、
Excel学習に興味があるはずです。
興味がない人は、こんな本は読みません。

そして、おそらくExcel初心者のはずです。
なぜなら、Excel中級者や上級者は、
こんな初心者向けのExcel本なんて読みません。
もっと難しいExcel本とか読んでいますし、
そもそもGoogleで調べるとかして、
本で学習をしてないかもしれません。
この本はずばり、

## Excel学習の必要性に気づき、

## 本を買ってExcelを勉強しようと思いたった、

## Excel初心者向けの本です。

## Excel学習で最初にぶつかる壁

「Excelを勉強するぞ！」と思いたって本屋に来たExcel初心者のあなたは、戸惑っているはずです。「え、Excel本ってこんなにあるの？」と。私もそうでした。本屋のExcelコーナー、めちゃめちゃ本がありますよね。

「よし、初心者向けの簡単な本にしよう！」と、本を手に取るとだいたいこうです。

「まずはExcelを起動させましょう。PCのメニューにある……」「新規ファイルを開く方法は……」って、さすがにそれくらいはできるよ！

で、別の本を見てみると、「ExcelでABC分析を……。四半期ごとの決算を……」とかありますよね。いや、私、分析とか決算とか言われても、そんなことは仕事でしないし……

もう1冊見てみると、「マクロでクラスモジュールを……」とかで、今度は「チーン」ってなりますよね……

そう。Excel初心者が最初にぶつかる壁は、

## どのExcel本を買っていいかわからない です。

せっかく本屋のExcelコーナーまでやってきたのに、どれを買っていいかわからなくて、手ぶらで帰る。それが非常にもったいない。今は本屋ではなくて、Amazonの評価や口コミを見て買う人もいるでしょう。
いくら評価や口コミがよくても、使わないExcelの機能や関数が網羅されていては、Excel学習の意味がありません。やはり本を買うなら、本屋で手に取って数ページ読んでみて、自分に合った本かどうかを見極める必要があります。Excel本もそうです。

- ふだんExcelを使っているけど、イマイチ使いこなせてない人
- Excel作業にかなりの時間を奪われている人
- Excel初心者を脱したい人
- Excel学習を始めようと思って本屋に来た人

この本は、上記のような Excel 初心者を対象にした本です。

## 「Excelができる」は神スキル

Excel はほとんどの会社で使われていますが、使いこなせる人はとても少ないです。こちらのツイートをご覧ください。以前 Twitter で呟いたことですが、約 9 万いいねをいただきました。バズったってやつです。それだけたくさんの方に共感をいただけたのだと思います。

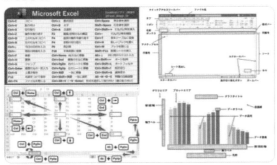

# 断言します。
## 「Excel ができる」は神スキル です。

「Excel ができる」の定義は、働く環境によって変わります。目安は、「周りの人が使っていない便利な Excel の機能を使いこなしている」です。
そう、周りの人より Excel が使えたら、それで十分です。

## Excelの落とし穴

私は誰かに Excel の使い方を教わったわけではありません。そんな私でも、直感的に使えて、必要な表やグラフは作成できていました。しかし、ここに落とし穴がありました。

今のご時世、UI（ユーザーインターフェイス）が非常に優れたものであふれています。「UI ってなに？」←たとえば、iPhone は説明書を読まなくても直感で操作できますよね？　それは iPhone の UI が非常に優れているからです。ですが、iPhone はなんとなく使えているけど、機能を十分に使えているとは言えないのではないでしょうか。

Excel も同じです。Excel というソフトは、直感的に使えてしまうのです。なので、ちゃんと勉強しようとは思いません。

ちゃんと勉強しないゆえに「Excel ができる人なら 5 分でできる集計作業を、Excel 初心者は 5 時間かけてやる」って、本当にあります。

## 私がそうでしたから。

「たった指 1 本の操作の工夫」だけで、Excel スキルは全く違うものになり

ます。ファンクションキー1つのショートカットキー、**F2**「セルの編集」、**F4**「直前の操作を繰り返す」や、**F12**「名前を付けて保存」などが最たるものです。

## 毎回マウスで操作しているのと、

## ファンクションキーをポンッと押すのでは、

## 積み重なったときに全然違います。

Excelには、知っているだけで効率的になるコツがたくさんあります。
逆に言うと、

## Excelを勉強しないと、

## 効率が悪いままなのです。

### Excelを学習して人生を好転させる

はじめまして。申し遅れました。Excel医と申します。30代内科医です。『人生を変える　Excelの神スキル』を手に取っていただき、ありがとうございます。

「Excel」は、Microsoft社の表計算ソフトで、ビジネスパーソンが仕事をする上で最も利用されているソフトです。さまざまな業種でいろいろな用途に幅広く利用されています。また、仕事だけではなく、家計簿や旅行の日程表など、個人的に使う方もいます。

私は医者です。世間的には、Excelを使うイメージはあまりないかもしれませんが、医者だってめちゃくちゃExcelを使います。医者は患者を診察して電子カルテに入力、オーダーするだけではありません。学会や論文発表、

院内外の勉強会・研究会で実際の患者データをまとめて発表する機会があります。「患者さんのデータをまとめる」←ここで、Excel を使います。統計ソフトも使いますが、その前段階として Excel を使う方が大半です。私の周りの医療者も様々な用途で Excel を使用しています。

私は大学生時代から、レポートに載せる表とグラフ作成、家計簿管理に Excel を使っていました。医者になりたての頃も、忙しい臨床の合間に、学会発表の準備で Excel を使っていました。しかし、Excel の使い方について、誰からも教わっていません。たまたま横で Excel 作業をしている先輩医師から、得意げにセル結合の仕方を教わる程度でした。

そんな私は、あることがきっかけで Excel を勉強し、人生が劇的に好転しました。Before ／ After を比べてみると次のような感じです。

## Before ▶ Excelを勉強する前の私

- なんとなくExcelを使えるけど、使いこなせない
- 「効率悪いんだろうなあ」と、内心思いながら集計作業を行う
- 同じ関数を何回もベタ打ちで一から入力する
- イマイチなテーブルやグラフを、その場しのぎで作成する
- マクロで自動化なんて、当然知らない

## After ▶ Excelを勉強した後の私

- ショートカットを駆使して、Excelを効率よく使っている
- 再計算可能なように、データベース形式で集計している
- 初めから関数を組んでおき、自動で反映されるようにしている
- 場面に応じた見やすいテーブルやグラフを作成している
- マクロでユーザーフォームを作成し、
  ピボットテーブルで自動集計している

## Benefit ▶ Excelを勉強してよかったこと

- 効率の悪いExcel作業が激減し、
  本業に時間と体力を割くことができる
- 時間にゆとりができ、家族と過ごす時間が増える
- 「Excelができる」だけで、めちゃくちゃ評価される
- Twitterで発信したら、15万人超にフォローしてもらえる
- 本を執筆する機会をいただく

私は Excel を勉強して、このような変化が起きました。


## Excel 初心者だったころの私に、

## ぜひ教えてあげたい。

## そんな思いで、元 Excel 初心者の私が、

## Excel 初心者に向けて書いたのが本書です。

ぜひ、この本を読んで Excel 初心者を脱し、
あなたの人生を劇的に好転させてください。


Excel 医

# Contents

## Chapter 1　Excel の基本

## Chapter 2　ショートカットキー

## Chapter 3　使いこなしたい超便利な機能

## Chapter 4 関数

装丁：柏倉美地（細山田デザイン事務所）　　組版：株式会社リブロワークス デザイン室
編集協力：榎本孝之（株式会社リブロワークス）　　校正：株式会社鷗来堂
図版作成：江村隆児（エムラデザイン事務所）

本書をご購入いただいた方への特典として、
本書で扱っているExcelのサンプルファイルを無料で
ダウンロードいただけます。
記載されている注意事項をよくお読みになり、
ダウンロードページへお進みください。

# https://www.kadokawa.co.jp/product/322105000824/

**ユーザー名** excelkami    **パスワード** kamictrl+1

上記のURLへアクセスいただくと、Excelデータをダウンロードできます。「サンプルファイルのダウンロードはこちら」という一文をクリックして、ダウンロードし、ご利用ください。
このURLへは、KADOKAWA のオフィシャルサイト（https://www.kadokawa.co.jp/）より書名で検索しても、アクセスできます。

[ **注意事項** ]
・パソコンからのダウンロードを推奨します。
・サンプルファイルをご覧いただくにはExcelを開ける環境が必要です。
・ダウンロードページへのアクセスがうまくいかない場合は、お使いのブラウザが最新かどうかご確認ください。ダウンロードする前に、お使いのデバイスに十分な空き容量があるかご確認ください。
・なお、本サービスは予告なく終了する場合がございます。あらかじめご了承ください。

※本書は、Excel2019およびMicrosoft 365のExcel（2023年3月現在）に対応しています。ただし、記載内容には、一部、いずれかのバージョンに対応していないものもあります。また、本書では主にWindows版Microsoft 365のExcelの画面を用いて解説をしています。そのため、ご利用のExcelやOSのバージョン・種類によっては、画面の内容に若干の差異がある場合がございます。ご注意ください。
※本書内に記載されている会社名、商品名、製品名などは一般に各社の登録商標です。®、™マークは明記していません。
※本書のサンプルファイルなどの中に登場する人物名・企業名・商品名は架空のものです。
※本書の内容は、2023年3月時点のものです。本書の出版にあたっては正確な記述に努めましたが、本書の内容に基づく運用結果について、著者および株式会社KADOKAWAは一切の責任を負いかねますのでご了承ください。
※本書に記載されたURLなどは、予告なく変更される場合があります。

# Chapter 1

# Excel の 基本

# Excelは「表計算ソフト」である

Excelは、多機能な「**表計算ソフト**」です。これ、すごく大事なことです。多くの方は、「**表作成ソフト**」だと思っています。

たとえば、会議で使う資料にデータを入力してまとめ、罫線を引いて色を塗って体裁を整える。確かにそれだけで人に見せる綺麗な資料が作れるので、便利なものです。しかし、そうした表が作成できるということは、Excelの機能の1つの側面にすぎません。私も今でこそ、こうしてExcelの本を書いていますが、Excel初心者だったころは、Excelのことを「縦と横に線が入ったワープロ」と思っていました😭

## Excelの機能の多さ

Excelが「表計算ソフト」であると言われる理由は、その機能の多さです。計算、関数、表、グラフ、検索、並べ替え、フィルター、共有、分析、自動化……などなど、挙げだしたらキリがありません。たくさんの機能がある中で、表の作成はその1つに過ぎません。

Excelは多機能な表計算ソフトである

Excelでできることはたくさんありますが、使い方は人それぞれです。私のような医者の場合、患者さんのカルテIDや年齢、性別、血液型、検査結果など、膨大なデータを扱います。たとえば「ある病気の30代男性のデータだけを集計する」「ある期間のデータを集計して一定期間ごとに自動でグラフを作成する」というような使い方をしています。Excelを使えばそんな

作業は一瞬で終わってしまいます。

　他の仕事でも同じです。店舗ごとの商品売り上げを管理する。顧客名簿、宿泊台帳を作成する。もちろん仕事以外にも、家計簿をつける、住所録やパスワード一覧を管理する……。挙げればキリがありません。

## まずは体験してみる

「でも、こんなにたくさんの機能を使いこなせるかな？」←そうですよね。先ほどの図を見たら不安に思うかもしれません。もちろんすぐにすべてを使えるようになるのは難しいです。というか、目指さないでください🤚「こんな機能があるんだ」「そんなふうにできたのか！」と少しずつでも知っていくことが大切です。私もExcelに触れていく中で、「Excelってすげー！」「Excelでこんなにも時短できるんだ」と体験しExcelのすごさを知っていくことで、段々と使えるようになってきました。そうした体験をぜひみなさんにもしてもらいたいです。

## Excelを「正しく」使う

　ところで、「ネ申Excel」って知っていますか？　Excelを方眼紙のようにして文書として作成し、印刷した際の体裁を最優先に設計するExcelの使用方法のことです。紙→神→ネ申になぞらえた表現で、たとえば次のようなものが「ネ申Excel」の典型例です。

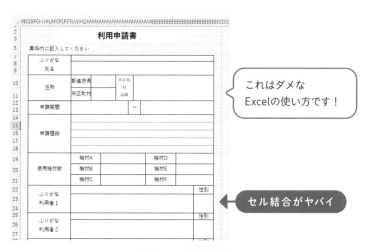

これはダメな
Excelの使い方です！

セル結合がヤバイ

ネ申Excelの利用申請書

これは非常によく見る、間違ったExcelの使い方です。「列幅の調整」「罫線」「セル結合」「印刷設定」などのExcelの機能を知らないと作成できませんが、Excelの超便利な機能をそんなことに使わないでくださいね。Excelは「表計算ソフト」です。入力したデータは集計するためにあります。

　こんなネ申Excelに入力されたデータ、どうやって集計するんですか？

　正しいExcelの使い方は「入力」→「加工」→「出力」です。詳細はChapter 5-3で解説しています。

## 「使える」から「使いこなす」へ

　Excelにはとてもたくさんの機能が揃っています。利用者も多いので、インターネットで調べればいろんな解説があり、それぞれの使い方を知ることはできます。しかし、単に「使える」ということと、「使いこなす」には少し距離があると思います。

　私がまだExcelのことを表作成ソフトだと思っていたとき、上司がドヤ顔でセル結合を教えてくれました。私は「おー！　そんなことができるんですね！」と驚きました。しかし、問題なのは、セルの結合をそこで使っていいのか？　ということです。データを蓄積する「入力」の場面ではセル結合は厳禁ですし、見せることが重要な「出力」の場面では、見た目が良くなるなら使ってもいいと思います。

　セル結合1つとっても、使い方次第で全く違う側面が見えてきますよね。こうした微妙な使い分け、つまりExcelを使いこなせるか？　ということは、インターネットで断片的に知識をかき集めただけではなかなか身に付きません。

## Excelを使いこなすには

　どんな目的でExcelを使うにしろ、共通して言えることがあります。それは、「Excelは学ばないと、使いこなすことはできない」ということです。

同じExcel作業でも **5**時間かかる人もいれば **5**秒で終わる人もいる

勉強しなければ

多くの時間を失う

使いこなせていますか？

　同じ計算結果を出すにしても、Excel初心者とExcel上級者は、かける労力が全く異なります。5時間かけて結果を出す人もいれば、前もってマクロを組んでおいて、ワンクリック5秒で出す人もいます。これ、極端に聞こえるかもしれませんが、本当の話です。なぜなら、私がかつてそうだったからです。

　私の職場では、蓄積された患者さんの情報を、定期的に整理して集計する仕事がありました。その仕事はすべて手作業で、担当の人が毎回かなりの時間をかけてやっていました。
　あるとき、その仕事を私が引き継ぐことになったのですが、それはそれは辛い仕事でした。そこで、Excelでもっと簡単にできないかと考え、Excelの本で勉強することにしたのです。
　ここから状況が変わりました。入力用のフォームを作成し、誰でも間違いなくデータ入力ができるようになり、さらに集計作業も自動化しました。今まで何時間もかかっていたものが、誰が何をするわけでもなく完了してしまうのです。

　私もそうやって本で学び、体験しながら使いこなせるようになりました。……と、ここまで読むと、とても長い試練が待ち構えているように見えるかもしれません。ですが、あまり先のことは考えず、まずはとにかく体験してみることから始めてください。何事も始めることが大事ですから

# 名前を知って初めて見えるものがある

## ジョシュアツリーの悟り

みなさん、「ジョシュアツリーの悟り」って知っていますか？

ある人が、クリスマス・プレゼントにもらった植物図鑑で「ジョシュアツリー」という木の存在を初めて知ります。それは一度も見たことがない木でした。しかし、実は何年も住んでいた家の近所にはジョシュアツリーがたくさん生えていて、ジョシュアツリーの存在に初めて気づいたというエピソードです。つまり、今まで見えていなかった物が、名前を知ることで初めて意識することができる、ということです。逆に、名前を知らなければ、存在しないのと同じなのです。

## 普通「ピボットテーブル」なんて知らない

たとえば「ピボットテーブル」という名前。使わない人にとっては意味不明な言葉ですが、使う人にとっては馴染みのある言葉です。名前を知らないまま使う人はいないでしょう。

私もExcelを学ぶまでは知りませんでしたし、聞いたことも使ったこともありませんでした。Excel学習の過程で「ピボットテーブル」の存在を知り、その機能や便利さを知り、使い方を勉強しました。使ううちに「もっとこうしたい」「こういうふうにできないかな」などと、細かいところまで調べてさらに使えるようになります。

名前を知ることで初めてそれを意識し、使うことができ、自分のものにすることができるのです。

## Excel画面各部の名称

ここまで、名前を知ることの大切さを説明しました。Excel学習を進めるうえでも重要な、Excel画面各部の名称を確認しておきましょう。

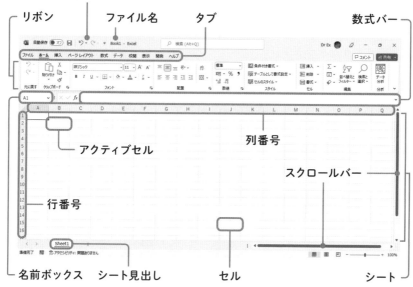

Excel画面各部の名称

　スマホ世代の我々は、各部の名前を知らなくても直感的に操作できることでしょう。Microsoft Officeのすごいところは、詳しい説明がなくても直感的に使えるところです。逆に言うと、直感的に使えてしまうので、体系的に学ばないと我流で使ってしまうことになります。それが独自の進化を経て、**ネ申Excel**や**Excel方眼紙**といった使い方がされてしまうのです。

## セル

　**セル**は、Excelを構成する最小単位のマス目です。セルに値を入力することですべてが始まります。

　セルの中でも、今まさに入力対象になっているセルが、**アクティブセル**です。通常は緑枠で囲まれて表示されます。複数セルを選択している場合は、白抜きになっているセルがアクティブセルです。

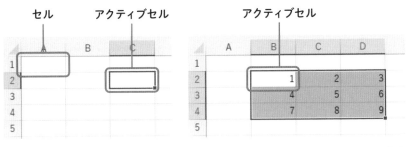

セル

## シート（ワークシート）

　**シート**（ワークシートともいいます）は、複数のセルから構成されている、作業（ワーク）する場所（シート）です。画面下にシートの名前である「**シート見出し**」があります。右側の［+］を押すと、**シートを追加**できます。

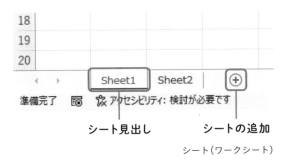

シート（ワークシート）

## ブック

　1枚または複数枚のシートで構成されているのがExcelの**ブック**です。Excelはブック単位で保存されます。Excelを新規作成すると、「Book1」というファイル名のExcelブックが作成されます。

ファイル名

ブック

## タブとリボン

Excel画面上部の「ファイル」「ホーム」「挿入」……と記載されているのが**タブ**。その下にたくさん並んでいるアイコンが**リボン**です。

各タブの下にあるアイコンを選択することで、様々な操作ができます。

リボン　　　　　　　　　　　　タブ

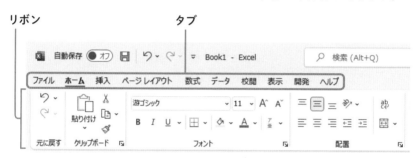

タブとリボン

ちなみにこのリボン。タブの部分（「ファイル」以外）をダブルクリックすると非表示にでき、もう一度ダブルクリックすると表示させることができます。

## 数式バー

アクティブセルの内容を表示する領域。セルに入力した値や数式を確認できます。数式バーをクリックすることで編集もできます。

数式バー

数式バー

## 名前ボックス

アクティブセルのセル番地を表示する領域。A1セルを選択している場合、「A1」と表示されます。

**名前ボックス**

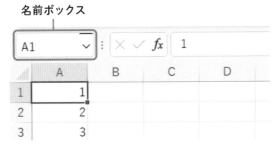

名前ボックス

テーブルなどの範囲の名前も表示されます。

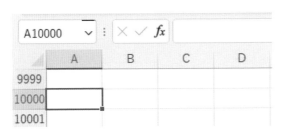

テーブルなどの範囲の名前

また、名前ボックスにセル番地を入力して Enter を押すと、そのセルに移動することができます。

Enter でのセル移動

## クイックアクセスツールバー

　画面の一番上に表示されているアイコンが並んでいる領域。よく使うアイコンを配置することができます。

クイックアクセスツールバー

## ステータスバー

　画面の下に表示されている領域。選択されたセル範囲の簡易的な計算結果を表示してくれます。

**ステータスバー**

ステータスバー

　表示させる項目は右クリックで選択することができます。

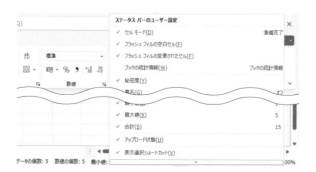

ステータスバーのユーザー設定

# 扱うデータは3種類
# 「数値」「文字列」「数式・関数」

Excelで扱うデータは、**3種類**あります。

「え、扱うデータの種類？　何のこと？」←わかりますよ。Excel初心者は、なんとなく数字や文字、関数を入力します。扱うデータの種類なんて意識しません。だって誰からも教わっていないのですから。ですが、「今自分はセルにどんな種類のデータを入力しているのか」を意識することは、とても大事なことです。

いろいろなExcel本を読んだ中で、一番初心者にわかりやすかった説明は、次のようなものです。

| 数値 | 計算できる数字データ |
|---|---|
| 文字列 | 計算できない文字データ |
| 数式・関数 | 「=(イコール)」で始まる計算式や関数 |

| | A | B | C | D |
|---|---|---|---|---|
| 1 | **数値** | **文字列** | **数式・関数** | |
| 2 | 100 | あいうえお | =1+1 | |
| 3 | 0.3 | ABC | =A2+A3 | |
| 4 | -10 | 一二三 | =SUM(A2:A4) | |

数値、文字列、数式・関数

## 数値

「100」や「0.3」、「-10」など、**計算可能な数字**のことです。整数、小数、分数などです。「数値」が計算できる、というのは理解しやすいでしょう。

## 一見「数値」に見える「文字列」がある

ですが、ここで注意点があります。世の中のExcelファイルには、一見「数値」に見えて、実は「文字列」というデータがあります。

たとえば、「1,000円」と、ご丁寧に3桁区切りの「, （カンマ）」と、単位の「円」をつけています。これは、「数値」ではなく、「文字列」として扱われます。「文字列」は、計算できない値なのです。これ、困りますよね。

「1,000円」と「2,000円」は文字列のため、計算できない。C4の「=C2+C3」がエラー値（#VALUE!）になっている。

一見「数値」に見える「文字列」

## 「数値」は右揃え、「文字列」は左揃え

Excelでは、「数値」と認識したデータは右揃え、「文字列」と認識したデータは左揃えになります。これも覚えておきましょう。

「数値」は右揃え　　「文字列」は左揃え

## 実際の数値（生データ）を、単位をつけないで入力する

　数値を入力するときに守ってほしいルールがあります。それは、「実際の数値（生データ）を、単位をつけないで入力する」ということです。上述のように、単位をつけたりすると、計算できないデータになってしまうからです。

　「1000」を「1,000円」と表示したいときは、表示形式を変えるようにしましょう。詳しくはChapter3-2で説明します。

## 文字列

　「あいうえお」「ABC」など、いわゆる文字です。ひらがな、カタカナ、漢字、アルファベット、記号など。「一二三」の漢数字も文字列に含まれます。文字列は計算することはできません。

　文字列を扱うときに覚えてほしい記号が2つあります。「&（アンド）」と、「"（ダブルクオーテーション）」です。

### &（アンド）

　文字列同士を結合するときは、「+（プラス）」ではなく、「&」で結合します。&は文字列演算子といいます。

「+」では文字列同士を結合できない。

「&」では文字列同士を結合できる。

文字列演算子&

## "（ダブルクオーテーション）

数式や関数で文字列を扱う場合、必ず「"」や「"」で囲む必要があります。

最後に「"様"」を追加

間に「" "」（空白）を追加

ダブルクオーテーション

# 数式・関数

「=（イコール）」で始まるデータは、**数式・関数**です。「=」を入力することで、Excelは「これから数式・関数を入力するんですね。了解しました！」と認識してくれます。ここで大事なのは、「セルには計算結果が表示される」ということです。

|  | A | B | C | D |
|---|---|---|---|---|
| 1 | A | 1 | 1 | 1 |
| 2 | B | 2 | 2 | 2 |
| 3 | C | 3 | 3 | 3 |
| 4 | 合計 | =1+2+3 | =C1+C2+C3 | =SUM(D1:D3) |

|  | A | B | C | D |
|---|---|---|---|---|
| 1 | A | 1 | 1 | 1 |
| 2 | B | 2 | 2 | 2 |
| 3 | C | 3 | 3 | 3 |
| 4 | 合計 | 6 | 6 | 6 |

B4セル、C4セル、D4セル、いずれも「6」という計算結果が表示されます。

## 数式・関数を確認する

　入力された数式・関数を確認する場合は、確認したいセルの**数式バー**を確認するか、F2 を押すことで確認できます。

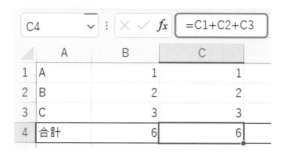

数式バーに数式が表示されている。

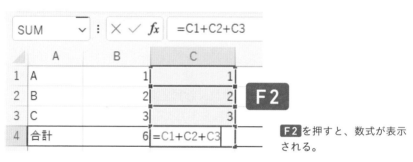

F2 を押すと、数式が表示される。

---

F2 アクティブセルを編集する

---

# 日付・時刻（シリアル値）について

　きました！　日付・時刻（シリアル値）です。Excel初心者が初期段階でつまずくポイントです。厳密にいうと、シリアル「値」とあるように、数値に含まれます。

　「はあ？　シリアル値？　日付が数値？」←わかりますよ、その気持ち。私もここで大いに悩まされました。ですが、Excelを扱う上で日付・時刻に関しては、必ず理解する必要があります。

## シリアル値とは

Excelでは、「1」は「1900/1/1（1900年1月1日）」と設定されています。なんで？　と思うかもしれませんが、そういうものなのです。ここは無条件で「ああそうなんだ」で構いません。

たまに日付のセルが「45017」とかになりませんか？　あれは、1900/1/1を「1（日目）」とした場合の、「45017（日目）」つまり「2023/4/1」のことです。2023/4/1の日付表示に対して、45017が**シリアル値**です。

24時間を1としているので、0.5は12時間つまり12:00のことです。「2023/4/1 12:00」のシリアル値は、「45017.5」となります。以下の概念図を押さえておきましょう。整数が日付、小数が時刻を表しています。

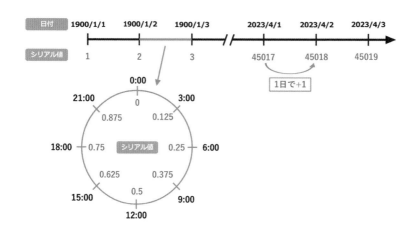

シリアル値と日付の関係

## 西暦と「/（スラッシュ）」を入れる

必ず「2023/4/1」と、西暦と「/」を入れて入力しましょう。

「4/1」と入力した場合、実際に入力した年をExcelが補完します（「2023/4/1」と認識します）。今年の日付だったら構いませんが、昨年の日付を入れたつもりだったら、後で気づくのは極めて困難です。

また「20230401」もダメです。これは「2023万401」と認識します。

## Excel医とTwitter

# 「覚えるなよ。
# ぜったい覚えるなよ。」

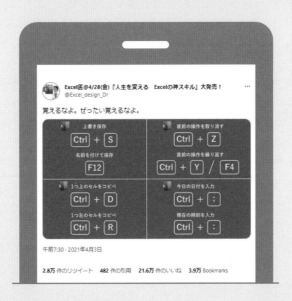

Excelについて日々ツイートしていますが、バズった1つがこちら。

画像は何回も使い回していたものですが、言葉のチョイスがよかったんでしょうね。元ネタはもちろんダチョウ倶楽部さんの「押すなよ。ぜったい押すなよ。」←「押せ」って意味です。いわゆる『カリギュラ効果』と言われており、禁止された行動ほどやりたくなる心理のことを言います。「覚えるなよ」と言われたら覚えたくなる。まあそううまくはいかないでしょうが、バズったことでたくさんの人に便利なショートカットを知る機会ができたと思います。

「有益でわかりやすい画像」＋
「インパクトのあるワード」

とにかくあの手この手でExcelの便利技を発信しているExcel医らしいツイートでしたね。ちなみにこのツイートがきっかけでフォロワーが一気に5万人ほど増えました。Twitterからこの本を知って、手に取ってくださった方も多いと思いますが、みなさんにこういった日々のツイートが届いていると嬉しいです。

# Chapter 2

## ショートカットキー

# まず覚えるのは
# ファンクションキー

## まっさきに覚えたい　F2　F4　F12

　このChapterではショートカットについてお話しします。ショートカット
といえば、**Ctrl**＋**C**（コピー）、**Ctrl**＋**V**（貼り付け）などの定番以外に、
覚えてほしいものがたくさんあります。初めに覚えてほしいのはずばり、
ファンクションキーです。以下の一覧をご覧ください。

### ファンクションキー一覧

| **F1** | ［ヘルプ］ | |
|---|---|---|
| **F2** | アクティブセルを編集 | 超 使う！ |
| **F3** | ［名前の貼り付け］ | |
| **F4** | 直前の操作を繰り返す<br>絶対参照と相対参照の切り替え | 超 使う！ |
| **F5** | ［ジャンプ］ | |
| **F6** | 画面エリア内の切り替え | |
| **F7** | ［スペルチェック］ | |
| **F8** | 選択範囲の拡張 | |
| **F9** | 再計算 | 使う！ |
| **F10** | メニューのキーヒント | |
| **F11** | 選択範囲からグラフを作成 | |
| **F12** | ［名前を付けて保存］ | 超 使う！ |

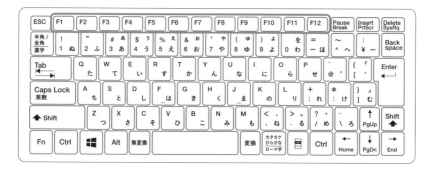

ファンクションキーは**キーボードの最上段**に配置されています。

なぜ最初に覚えてほしいかというと、ボタン1つだからです。あらゆるショートカットは、**Ctrl**＋○、**Ctrl**＋**Shift**＋○など、ボタンを2つか3つ押さないといけません。Excel初心者はここで覚えること、使うことを挫折します。私もそうでした。ボタン1つ、指1本で作業効率がグンと上がるので、まずはこれを使ってみましょう。そこから「ショートカットって便利だな」「いつものこの作業、ショートカットでできないかな」と発展していきます。この体験が大事です。

> なお、ノートパソコンによっては、**Fn** を一緒に押す必要があります。残念すぎる！

## **F2** アクティブセルを編集

カーソル

編集したいセルを選択し、**F2**で**編集モード**になります。マウスポインターを合わせてダブルクリックしていた方は今日からやめましょう。「別にダブルクリックでもいいじゃん」と思うかもしれませんが、キーボードとマウスを行ったり来たりするのはストレスです。この小さなストレスの積み重ねが作業効率を悪くし、生産性を低下させるのです。

## F2 入力／編集モードの切り替え

F2 には、もう1つ覚えてほしい機能があります。それは入力／編集モードの切り替えです。

セルに値を入力しているとき、カーソルではなくアクティブセルが左に移動して戸惑ったことはありませんか？　それは、セルが入力モードになっているからです。Excelの左下をよく見ると、「入力」「編集」と表示されています。これが、現在のセルのモードです。

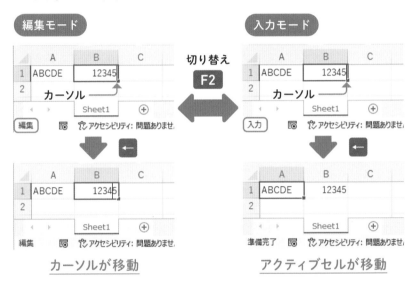

これは、数式や関数を入力する際に便利です。

## F4 直前の操作を繰り返す／絶対参照と相対参照の切り替え

F4 には2つの機能が割り当てられています。1つは文字／セルの修飾や表作成で頻用する「直前の操作を繰り返す」です。たとえばあるセルに色をつけて塗りつぶしたとします。他のセルも同じ色に塗りつぶす、他のセルも同じ色に塗りつぶす、(以下省略)。よくやりますよね。

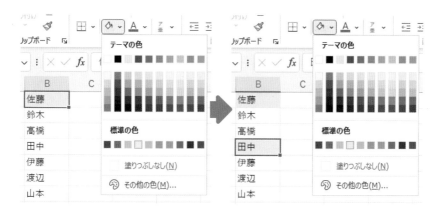

Excel初心者は、最初にやった操作（色をつけて塗りつぶす）と全く同じ操作を、他のセルでも同じように何度も行います。考えてみてください。「セルを選択する」→「ペンキマークを押す」→「色を選択する」→「セルを選択する」→「ペンキマークを押す」→（以下省略）。面倒でしょ、これ。しかも最近のモニターは大きいくせにアイコンの大きさは以前と同じなので、相対的に小さくなっています。色を選択するのも大変です。

そんなときは F4 です。この例だと「セルを選択する」→ F4 （塗りつぶす）→「セルを選択する」→ F4 （塗りつぶす）。こうなるんです。もちろん「太字にする」「罫線を引く」「行を追加する」なども同様です。

面倒な操作は最初の1回だけ、あとは F4 で繰り返す。これで時短に成功です。

もう1つは「絶対参照と相対参照の切り替え」です。

これは関数（数式）のところで詳しく紹介します。これもよく使います。

## F12 名前を付けて保存

ファイルを保存するのは「上書き保存」と「名前を付けて保存」があります。F12 は、後者の「名前を付けて保存」です。これは新規にファイルを作成した場合と、既存のファイルを名前を変更して保存したい場合に使います。特に既存のファイルを普通に保存すると、通常は「上書き保存」されます。バージョン管理が必要な場合、その都度名前を変えて保存しますよね。

名前を付けて保存

「マウスを取る」→「リボンの［ファイル］をクリック」→「［名前を付けて保存］をクリック」→「保存する場所をクリック」。これでようやく［名前を付けて保存］ダイアログボックスが開きます。この4操作が**F12**の1操作になるんですよ。すごくないですか、ファンクションキー。ぜひ、今日から使ってみてください。

## （おまけ）**F1** ヘルプ

**F2**はめちゃよく使いますが、その隣の**F1**（ヘルプ）は全く使いません。少なくとも私はこのヘルプで疑問を解決しようとしたことはありません。「**F2**を押そうとしたら、**F1**を押してヘルプが表示された！」←これ、よくあります。中には**F1**キーを外している人もいるようです。それはさすがにやりすぎです😫

**F1** でヘルプが表示される

# （おまけ） F2 ファイル名を変更（Windows）

　Excel操作ではありませんが、ついでに紹介します。Windowsでファイル
を選択している状態で F2 を押すと、ファイル名を変更することができます。
右クリック→［名前の変更］を押していませんか？　似たような機能であ
りがたいですよね。このように、Excelで学んだ知識を横展開して応用でき
ないか、という考えを常に持つようにすると、勉強の効率が良くなりますよ。

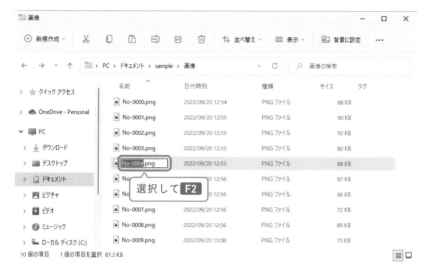

ファイル名を変更（Windows）

# ナビゲーションキー
# について

　Excelのショートカットではありませんが、**ナビゲーションキー**は超便利なので、ここで解説します。`Home` `End` `PgUp` `PgDn` のことです。`←` `↑` `→` `↓` `Insert` `Delete` も含みます。使っていない人が多すぎです。たとえば、文字の先頭を選択したいとき、マウスで選択したり、矢印キー連打したりとかしますよね。`Home` を知っていれば、一発で文字の先頭を選択することができます。

## ナビゲーションキーを絶対に使うべき！

　ではどうしてこんなに便利なキーを使わない人が多いのでしょうか？原因はマウスにあると思っています。確かにマウスは便利です。右クリックに左クリック、ドラッグにホイール操作、バーのスクロールなど、マウスだけでパソコン操作のかなりの部分ができてしまいます。

　ですが、ナビゲーションキーはそうした操作をもっと簡単に行える特別なキーなのです。キーボードの中で最初に教えるべきキーだと思っています。ノートパソコンだと、`Fn` を押しながらじゃないとできないのがものすごく残念です。外付けのキーボードは、テンキーがあるから便利なのではありませんよ。このナビゲーションキーがあるから超便利なのです。絶対に使うようにしてください。

## ナビゲーションキーってどこ？

　使ったことのない人にとっては、「まずどこにそんなキーがあるの？　みたことがない」って感じかもしれません。一般的なキーボードで見てみましょう。

　まずはこちらがデスクトップパソコンのキーボード。囲んである箇所がナビゲーションキーです。

　こちらはノートパソコンのキーボードです。右下の矢印に配置されていることが多いです。

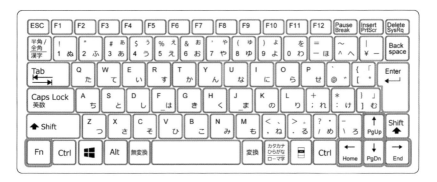

　この場合は、**Fn** と同時に押す必要があります。たとえば、**Fn** ＋ **↑** を押すと、**PgUp** を押したのと同じことになります。

## ナビゲーションキーの使いどころ

　どこにあるかがわかったところで、使いどころを知りたいですよね。Excel以外でも使えるので、どんどん使って慣れていきましょう。

### Home 行頭に移動する

**Word：行の先頭に移動する**
**文字入力：文字の先頭に移動する**
**Webブラウザ：Webページの最上部に移動する**

## **End** 行末に移動する

**Word**：行の末尾に移動する
**文字入力**：文字の末尾に移動する
**Webブラウザ**：Webページの最下部に移動する

カーソルで行頭を選択するのって、割と難しくないですか？　適当に2、3文字前にマウスでカーソルを置いて、そこから矢印キーを使っていませんか？　私はそうでした。でも、今日から **Home** ／ **End** を使ってください。そういった余計な動作が一切なくなりますから。

Excelでセルの値を編集する時、↓こうやっていませんか？

| | A | B | C |
|---|---|---|---|
| 1 | Microsoft | | |
| 2 | | | |
| 3 | | | |

この辺でダブルクリックして

| | A | B | C |
|---|---|---|---|
| 1 | Microsoft | | |
| 2 | | | |
| 3 | | | |

| | A | B | C |
|---|---|---|---|
| 1 | Microsoft | | |
| 2 | | | |
| 3 | | | |

**←** **←** 先頭にカーソルを持ってくる

今日から **F2** → **Home** でやりましょう。

**F2** でセル編集→ **Home** でカーソルを先頭に移動（ **↑** でもOK）です。ダブルクリック→ **←** 連打していた人にとって、初めは少し違和感があると思います。でも何回か練習してみてください。大丈夫です。すぐに慣れますし、ダブルクリック→ **←** 連打していたころには戻れなくなりますから。

## PgUp PgDn

Excel以外では、カーソルまたはページを1画面分だけ上/下へ移動します。
Excelだと、シートが1画面上/下へ移動します。

| | A | B | C | D | E | F | G | H | I | J | K | L | M | N | |
|---|---|---|---|---|---|---|---|---|---|---|---|---|---|---|---|
| 1 | | 1月1日 | 1月2日 | 1月3日 | 1月4日 | 1月5日 | 1月6日 | 1月7日 | 1月8日 | 1月9日 | 1月10日 | 1月11日 | 1月12日 | 1月13日 | 1月14 |
| 2 | 北海道 | 43 | 193 | 88 | 46 | 92 | 77 | 24 | 84 | 20 | 103 | 191 | 152 | 150 | |
| 3 | 青森 | 8 | 152 | 34 | 80 | 178 | 39 | 74 | 74 | 174 | 190 | 143 | 191 | 33 | |
| 4 | 秋田 | 104 | 198 | 183 | 132 | 150 | 189 | 105 | 181 | 24 | 31 | 58 | 6 | 57 | |
| 5 | 岩手 | 79 | 183 | 175 | 77 | 145 | 186 | 10 | 175 | 196 | 165 | 15 | 190 | 34 | |
| 6 | 山形 | 151 | 157 | 72 | 30 | 49 | 56 | 79 | 184 | 97 | 141 | 194 | 109 | 159 | |
| 7 | 宮城 | 109 | 174 | 107 | 92 | 57 | 171 | 27 | 33 | 101 | 47 | 119 | 176 | 155 | |
| 8 | 新潟 | 50 | 87 | 135 | 167 | 164 | 162 | 89 | 133 | 187 | 111 | 198 | 172 | 21 | |
| 9 | 群馬 | 131 | 148 | 20 | 45 | 11 | 82 | 174 | 156 | 7 | 179 | 123 | 114 | 41 | |
| 10 | 栃木 | 157 | 119 | 185 | 148 | 178 | 24 | 156 | 117 | 89 | 55 | 143 | 76 | 167 | |
| 11 | 福島 | 154 | 80 | 145 | 51 | 196 | 196 | 120 | 29 | 179 | 91 | 157 | 96 | 174 | |
| 12 | 茨城 | 107 | 195 | 68 | 23 | 140 | 88 | 128 | 33 | 57 | 181 | 189 | 155 | 87 | |
| 13 | 千葉 | 5 | 153 | 131 | 169 | 75 | 163 | 85 | 116 | 83 | 179 | 194 | 150 | 97 | |
| 14 | 埼玉 | 188 | 83 | 18 | 131 | 128 | 8 | 52 | 150 | 88 | 185 | 130 | 153 | 8 | |
| 15 | 東京 | 46 | 30 | 120 | 140 | 60 | 114 | 139 | 68 | 103 | 89 | 88 | 132 | 46 | |

## PgDn

| | A | B | C | D | E | F | G | H | I | J | K | L | M | N | |
|---|---|---|---|---|---|---|---|---|---|---|---|---|---|---|---|
| 16 | 神奈川 | 24 | 57 | 124 | 16 | 64 | 79 | 33 | 89 | 171 | 74 | 118 | 137 | 50 | |
| 17 | 山梨 | 195 | 163 | 83 | 94 | 151 | 169 | 132 | 103 | 158 | 194 | 27 | 23 | 38 | |
| 18 | 静岡 | 107 | 38 | 179 | 66 | 53 | 46 | 116 | 137 | 137 | 41 | 47 | 112 | 155 | |
| 19 | 長野 | 16 | 28 | 149 | 168 | 75 | 169 | 104 | 68 | 28 | 197 | 193 | 33 | 142 | |
| 20 | 富山 | 79 | 142 | 22 | 164 | 7 | 136 | 29 | 155 | 36 | 62 | 149 | 179 | 59 | |
| 21 | 岐阜 | 138 | 155 | 59 | 104 | 11 | 61 | 179 | 157 | 112 | 69 | 19 | 35 | 147 | |
| 22 | 愛知 | 125 | 177 | 26 | 168 | 199 | 167 | 15 | 124 | 29 | 9 | 154 | 37 | 26 | |
| 23 | 石川 | 69 | 79 | 125 | 75 | 71 | 58 | 80 | 17 | 9 | 96 | 11 | 179 | 187 | |

**PgDn の移動**

さらに、**Alt** や **Ctrl** を組み合わせると、シート1画面分の左右移動やシート間の移動ができます。

**Alt** + **PgDn** シート1画面分、右へ移動する。
**Alt** + **PgUp** シート1画面分、左へ移動する。
**Ctrl** + **PgDn** 1つ右のシートに移動する。
**Ctrl** + **PgUp** 1つ左のシートに移動する。

| | 1月1日 | 1月2日 | 1月3日 | 1月4日 | 1月5日 | 1月6日 | 1月7日 | 1月8日 | 1月9日 | 1月10日 | 1月11日 | 1月12日 | 1月13日 | 1月1 |
|---|---|---|---|---|---|---|---|---|---|---|---|---|---|---|
| 北海道 | 43 | 193 | 88 | 46 | 92 | 77 | 24 | 84 | 20 | 103 | 191 | 152 | 150 | |
| 青森 | 8 | 152 | 34 | 80 | 178 | 39 | 74 | 74 | 174 | 190 | 143 | 191 | 33 | |
| 秋田 | 104 | 198 | 183 | 132 | 150 | 189 | 105 | 181 | 24 | 31 | 58 | 6 | 57 | |
| 岩手 | 79 | 183 | 175 | 77 | 145 | 186 | 10 | 175 | 196 | 165 | 15 | 190 | 34 | |
| 山形 | 151 | 157 | 72 | 30 | 49 | 56 | 79 | 184 | 97 | 141 | 194 | 109 | 159 | |
| 宮城 | 109 | 174 | 107 | 92 | 57 | 171 | 27 | 33 | 101 | 47 | 119 | 176 | 155 | |
| 新潟 | 50 | 87 | 135 | 167 | 164 | 162 | 89 | 133 | 187 | 111 | 198 | 172 | 21 | |
| 群馬 | 131 | 148 | 20 | 45 | 11 | 82 | 174 | 156 | 7 | 179 | 123 | 114 | 41 | |
| 栃木 | 157 | 119 | 185 | 148 | 178 | 24 | 156 | 117 | 89 | 55 | 143 | 76 | 167 | |
| 福島 | 154 | 80 | 145 | 51 | 176 | 196 | 120 | 29 | 179 | 91 | 157 | 96 | 174 | |
| 茨城 | 107 | 195 | 68 | 23 | 140 | 88 | 128 | 33 | 57 | 181 | 189 | 155 | 87 | |
| 千葉 | 5 | 153 | 131 | 169 | 75 | 163 | 85 | 116 | 83 | 179 | 194 | 150 | 97 | |
| 埼玉 | 188 | 83 | 18 | 131 | 128 | 8 | 52 | 150 | 88 | 185 | 130 | 153 | 8 | |
| 東京 | 46 | 30 | 120 | 140 | 60 | 114 | 139 | 68 | 103 | 89 | 88 | 132 | 46 | |

東日本 ／ 西日本 ／ ⊕

準備完了　アクセシビリティ: 検討が必要です　　100%

**Ctrl + PgDn**

| | 1月1日 | 1月2日 | 1月3日 | 1月4日 | 1月5日 | 1月6日 | 1月7日 | 1月8日 | 1月9日 | 1月10日 | 1月11日 | 1月12日 | 1月13日 | 1月1 |
|---|---|---|---|---|---|---|---|---|---|---|---|---|---|---|
| 三重 | 77 | 97 | 172 | 197 | 164 | 123 | 19 | 53 | 153 | 161 | 175 | 75 | 109 | |
| 滋賀 | 191 | 127 | 179 | 164 | 143 | 188 | 56 | 157 | 38 | 181 | 88 | 178 | 10 | |
| 福井 | 90 | 157 | 45 | 186 | 163 | 113 | 105 | 15 | 138 | 90 | 192 | 104 | 70 | |
| 京都 | 188 | 118 | 88 | 91 | 53 | 130 | 100 | 8 | 123 | 49 | 36 | 92 | 20 | |
| 奈良 | 81 | 110 | 107 | 105 | 106 | 10 | 109 | 19 | 136 | 151 | 88 | 8 | 106 | |
| 和歌山 | 7 | 147 | 153 | 44 | 23 | 195 | 33 | 159 | 111 | 199 | 185 | 127 | 22 | |
| 大阪 | 123 | 63 | 84 | 161 | 189 | 80 | 136 | 13 | 154 | 39 | 135 | 107 | 104 | |
| 兵庫 | 161 | 153 | 170 | 60 | 25 | 130 | 150 | 65 | 121 | 107 | 193 | 33 | 17 | |
| 岡山 | 87 | 132 | 52 | 64 | 60 | 122 | 82 | 127 | 142 | 135 | 72 | 92 | 119 | |
| 鳥取 | 157 | 61 | 31 | 199 | 30 | 7 | 176 | 76 | 79 | 28 | 197 | 122 | 168 | |
| 島根 | 198 | 128 | 88 | 21 | 51 | 148 | 43 | 125 | 125 | 27 | 144 | 110 | 24 | |
| 広島 | 161 | 161 | 75 | 108 | 135 | 66 | 94 | 55 | 151 | 167 | 157 | 89 | 58 | |
| 山口 | 97 | 54 | 16 | 102 | 161 | 126 | 123 | 132 | 94 | 120 | 183 | 56 | 85 | |
| 香川 | 188 | 48 | 103 | 20 | 116 | 191 | 86 | 45 | 8 | 114 | 111 | 177 | 117 | |

東日本 ／ 西日本 ／ ⊕

準備完了　アクセシビリティ: 検討が必要です　　100%

Ctrl + PgDn の移動

　Excel初心者は左下のシート見出しをクリックして、シート間を移動します。マウスポインターの位置を確認→見出しの上に移動→クリックする。シートが多いときは、隠れている部分を表示して……なんて操作も加わってきます。これだけの操作でも、積み重ねるとかなりの時間になってしまいます。

　キーボード操作だけでシート間を移動できるようにしましょう。その方が断然快適ですよ。

# Ch 2-3 ショートカットキー | 暗記必須の ショートカットキー

ファンクションキー、ナビゲーションキーと見てきました。これだけでもかなりの作業が効率化されましたが、Excelでの作業をもっと効率化するショートカットキーをここでご紹介します。

## あ、間違えた！　あわてず Ctrl + Z で元に戻そう

**操作を間違えたとき、**

Excel初心者　記憶を頼りにゼロからやり直す
　　　　　　　マウスで左上の[⤺ 元に戻すマーク]をクリック

Excelできる人　Ctrl + Z で元に戻す
　　　　　　　Ctrl + Y で元に戻しすぎたのをやり直す

### Ctrl + Z で元に戻す

Excel作業をしていて、「あ、間違えた！」ってときは、あわてず Ctrl + Z を押しましょう。直前の操作がキャンセルされ、1つ前の状態に戻ります。上のバー（**クイックアクセスツールバー**）にも［元に戻す］アイコンがありますが、ショートカットでできた方が絶対便利です。

Excel初心者は操作を間違えたとき、一度作業を削除して、元データを探して再度データを入力します。私はそうしていました😫

ちなみにこの **Ctrl** + **Z**。幸いなことに、キーボードの左下の **Ctrl** から最も近いアルファベットの **Z** が採用されています。左手の小指と薬指（中指）を使って、秒で［元に戻す］ことができます。キーボード配置に感謝🙏。

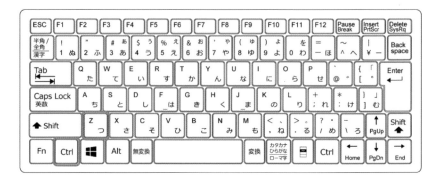

## アイコンが便利なときもある

元に戻す操作はショートカット **Ctrl** + **Z** がおすすめですが、アイコンならではの便利さもあります。［元に戻す］アイコン右の「⌄」を押すと、Excel操作の履歴が表示されます。これを見て戻したいところまで一気に戻ることもできます。

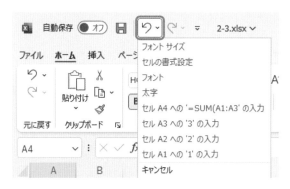

アイコンで元に戻すとき

## 注意！　元に戻せない操作もある

ただしこの **Ctrl** + **Z**。すべての操作を元に戻せるわけではありません。

たとえばシート削除。シートを削除すると、次の図のように「このシートは完全に削除されます。続けますか？」と表示されます。完全に削除さ

れた場合、**Ctrl**＋**Z**を押してもシートは復元できません。注意しましょう。

## 戻しすぎた場合は **Ctrl**＋**Y** で「やり直し」

　こちらもあわせて覚えましょう。**Ctrl**＋**Z**で何回も［元に戻す］操作をすると、「あ、戻しすぎた！」ってことがあります。そんなときも、あわてず**Ctrl**＋**Y**を押します。元に戻しすぎた状態から、1つ前にやり直しができます。やり直し（Yarinaoshi）の「Y」と覚えましょう。

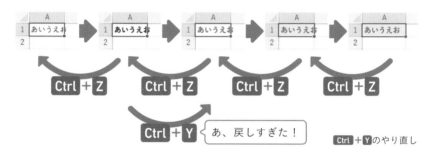

Ctrl＋Yのやり直し

　厳密に言うと、**Ctrl**＋**Y**は「直前の操作を繰り返す」です。**F4**と同じです。**Ctrl**＋**Z**［元に戻す］操作を［元に戻す］（**Ctrl**＋**Y**「直前の操作を繰り返す」）、キャンセルをキャンセルした、ということです。

　アイコンのクリックでもできますが、ショートカットキーの方が断然いいですよ。

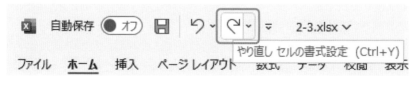

アイコンでやり直す時

---

**Ctrl**＋**Z**　元に戻す

**Ctrl**＋**Y**／**F4**　やり直し（直前の操作を繰り返す）

---

# 保存は超大事 ～息をするように Ctrl + S を押せ～

## 保存するとき、

| Excel初心者 | いちいち左上の「保存ボタン」を押す<br>１時間の作業をフリーズでパーにする |

| Excelできる人 | １分に１回以上 Ctrl + S を押す<br>F12 ［名前を付けて保存］を必ず使う<br>自動保存を設定する |

保存は超超超大事です。

Excelだけに限りませんが、パソコンで新しいファイルを作ったとしても、保存しなければ何も残らず意味がありません。

Excel初心者は、Excel作業が終わり、「さあ、Excel作業は終わったぞ。保存しよう」と、ファイルを閉じる前になって初めて保存します。

しかし、誰もが一度は経験するはずです。そう、作業中に突然のパソコンフリーズ。この文言、見たことありませんか？

**Microsoft Excelは動作を停止しました**

動作の停止を伝える恐怖のお知らせです。「オンラインで解決策を確認してプログラムを終了します」などと書かれていることもありますが、私はオンラインで解決できたことはありません。必然的に「プログラムを終了します」一択です。さっきまでのExcel作業をしていた１時間が水の泡……。ホラーですよね。

私の想像ですが、日本で10分に1人くらい「ぎゃー、フリーズして消えた〜！」って人がいると思っています。私もしょっちゅうありましたから😱

　何度もいいますが、保存は超超超大事です。常に「1秒後にフリーズするかもしれない」と思って保存することを意識しましょう。そのうち無意識に保存するようになりますから。

## Ctrl + S 上書き保存

　左手小指でCtrlを押しながら中指でSを押す。これだけで上書き保存ができます。SaveのSです。

　新規作成したファイルだと、名前を付けて保存ダイアログが開きます。息をするようにCtrl + Sを押すようにしましょう。私はそうしています。

　Excel作業って、常に手を動かしているとは限りません。時には行き詰まることもあるでしょう。そういうときにCtrl + Sを押すと、「現時点の状態を保存して、フリーズによる今までの入力作業がムダになることを予防する」という超大事なExcel作業を行うことができます。1つ作業した、という小さな達成感を得られます。

　これ、くだらないことに思うかもしれませんが、小さな達成感を積み重ねることって、人生においてとても大事なことです。

　「息をするようにCtrl + Sを押して、小さな達成感を得る」➡ぜひ取り入れてみてください。

## F12 名前を付けて保存

　F12を押すと、名前を付けて保存ダイアログが開きます。

　新規作成した場合以外に、既存のファイルを名前を変えて保存したい場合もF12が便利です。

名前を付けて保存

## 自動保存を1分おきに設定する

　ここまでやれば完璧です。自動保存の設定をしましょう。これ、勘違いされている人がいますが、自動で勝手に上書き保存するわけではありません。自動でバックアップとして保存しておいてくれる、というわけです。

　強制終了や保存し忘れたときに、バックアップから復元することができます。

　保存する間隔も設定できます。デフォルトは10分になっています。短いに越したことはありません。最短の1分に変更しておきましょう。

　[ファイル] → [オプション] → 「Excelのオプションの [保存]」→ [次の間隔で自動回復用データを保存する] にチェックを入れます。さらに、自動保存の間隔を最短の「1分」に設定して、[OK] を押します。

自動保存の設定

---

**Ctrl** + **S**　上書き保存

**F12**　名前を付けて保存

**自動保存を1分おきに設定する**

---

# 困ったときは、とりあえず Esc

## 操作を間違えたとき、

**Excel初心者**　セル入力が変になったら **Enter** で確定
　　　　　　　　→ **Backspace** ／ **Delete** →入力のやり直し

**Excelできる人**　セル入力が変になったら **Esc** でやり直し

　セルに入力をしているとき、変なところを押して意味不明になることは
ありませんか？　Excel初心者は **Enter** で確定させてから元に戻してやり直
します。元に戻す（**Ctrl** + **Z**、[元に戻す] アイコン）操作を知らないと、
一から入力し直す初心者さえいます。

そんなときはあわてず落ち着いて、**Esc**（エスケープ）を押しましょう。
何事もなかったかのようにセルの値が元に戻ります。**Enter** を押す前に **Esc**
です。

## **Esc** と **Ctrl** + **Z** の違いを理解しよう

先ほど紹介した［元に戻す］（**Ctrl** + **Z**）は、セル入力が確定した後（**Enter**
を押した後）に、1つ前の状態に戻す操作です。**Esc** は入力途中（**Enter** で
確定する前）でやり直すことができます。

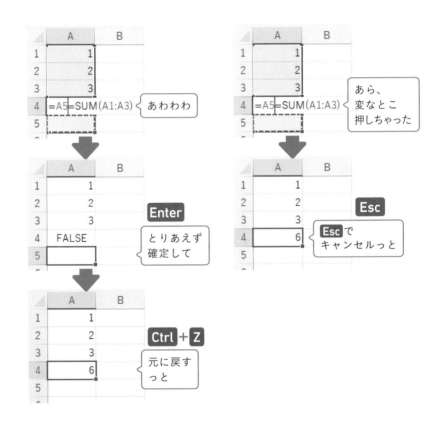

---

**Esc**　キャンセル　←**Enter** で確定前

**Ctrl** + **Z**　元に戻す（1つ前の状態に戻す）　←**Enter** で確定後

---

# 表全体を選択するときは Ctrl + A （All）
## 〜マウスをグイーってやらないで〜

### 表全体を選択するとき、

> **Excel初心者**　表の左上から右下までマウスでドラッグ

> **Excelできる人**　表のどこかを選択して、Ctrl + A

　表全体を選択したいとき、Excel初心者は表の左上から右下までマウスでグイーっとドラッグして選択します。表が大きいときは、スクロールバーが一番下（右）に到達するまでマウスをいい感じのところで止めてグッとこらえます。

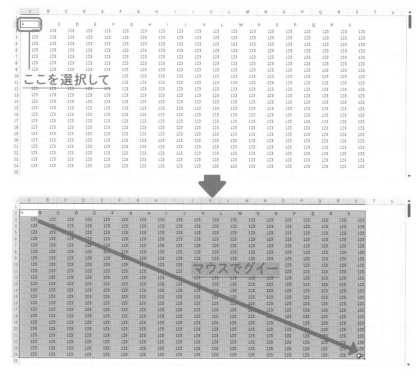

マウスでグイー

# Ctrl + A で全選択

Excelができる人はそんなことしません。表のどこでもいいから選択して、Ctrl + Aで表全体を選択できます。AllのAです。

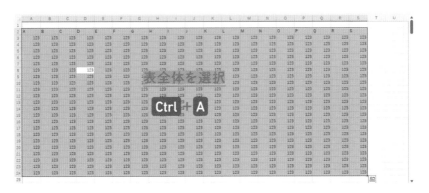

さらにもう1回 Ctrl + A を押すと、Excelのシート全体を選択できます。

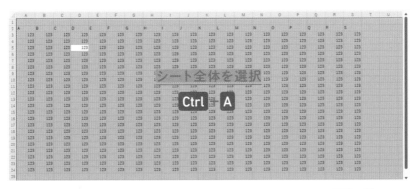

Ctrl + Aの全選択

## オブジェクトも全選択

ちなみにこれ、オブジェクトだけを全選択したいときにも使えます。

オブジェクトを1つ選択し、その状態で Ctrl + A を押すと、シート上にあるオブジェクトすべてを選択した状態になります。オブジェクトだけ一気に削除や編集したいときに便利です。

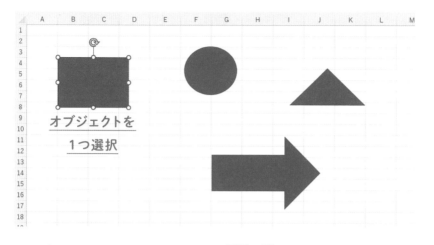

オブジェクトを1つ選択した状態で、**Ctrl**＋**A**を押すと、

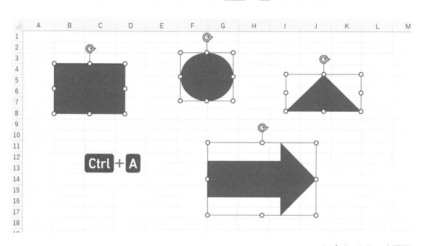

オブジェクトの全選択

オブジェクトすべてを選択できます。

**Ctrl**＋**A**　**表全体を選択／シート全体を選択**

# Excelを閉じる Ctrl + W と Alt + F4
## 〜右上の×を押すのはやめましょう〜

**Excelファイルを閉じるとき、**

Excel初心者 　右上の×をマウスでクリック

Excelできる人 　1つのファイルを閉じるときは Ctrl + W
　　　　　　　　Excelを閉じるときは Alt + F4

　Excel作業が終わってファイルを閉じるとき、Excel初心者はマウスを取って右上の×を目指してカーソルを動かします。そして×をクリックします。しかし、最近はディスプレイが大きくなり、相対的に×が小さくなっています。小さい×を目指してカーソルを合わせるのはプチストレスです。ぜひショートカットで閉じるようにしましょう。

×が小さくない？

右上の×

54

## Ctrl + W 1つのファイルを閉じる

複数のExcelファイルを開いていて、1つのファイルだけ閉じたいときは Ctrl + W で閉じることができます。1つしかExcelファイルを開いていない場合は、以下のような画面になります。Excel自体は開いていますが、ファイルが何もない状態です。

1つしかExcelファイルを開いていない場合に Ctrl + W で閉じた時

## Alt + F4 Excelを閉じる

Excelファイルすべてを閉じたいときは、Alt + F4 でExcel自体を終了させることができます。

Ctrl + W も同じですが、保存していない場合、保存するか確認するダイアログボックスが表示されます。保存する場合は、[保存（S）]をクリックしましょう。保存しないで閉じる場合は[保存しない（N）]、閉じる操作自体をキャンセルする（Excelを閉じない）場合は、[キャンセル]をクリックしましょう。

×

このファイルの変更内容を保存しますか?

ファイル名

| Book1| | .xlsx |

場所を選択

📁 ドキュメント
OneDrive - 個人用 　　　　　　　　　　　　　　　▼

その他のオプション...　保存(S)　保存しない(N)　キャンセル

Alt ＋ F4 で閉じる

　ちなみにこの［保存（S）］のアンダーバー付きの「S」。S を押せば保存されるかと思いきや、何も起きません。Alt を一緒に押すことでそのボタンの操作をキーボードで行うことができます。

Alt ＋ S ➡ 保存

Alt ＋ N ➡ 保存しない

　この操作も一緒に覚えておきましょう。

---

Ctrl ＋ W　1つのファイルを閉じる

Alt ＋ F4　Excelを閉じる

ダイアログボックスのアンダーバーは、Alt と一緒に押す

---

# 今日の日付は Ctrl + ;
# ～カレンダーを見ながらベタ打ちするのは
# やめましょう～

### 今日の日付を入力するとき、

Excel初心者　カレンダーを見て「2023/……」と入力

Excelできる人　Ctrl + ;

　今日の日付を入力したいとき、Excel初心者はカレンダーを見て今日の日付を確認し、「2023/……」とベタ打ちします。最大で10回もキーボードを押す必要があります（2023/10/30は10字）。今日からやめましょう。

## Ctrl + ; 今日の日付を入力

　Ctrl + ; で今日の日付が一発で入力されます。今日の日付を覚えていなくても、パソコン上の日付を勝手に入力してくれます。

　ちなみに、「**現在の時刻**」を入力するのは、Ctrl + : です。

| A1 | ∨ : × ✓ fx | 2023/10/30 | |
|---|---|---|---|
| | A | B | C | D |
| 1 | 2023/10/30 | | | |
| 2 | | | | |

　時刻を表す「**:**」**（コロン）、隣の「;」（セミコロン）は日付**。そんな感じで覚えておきましょう。

---

Ctrl + ; 　今日の日付を入力

Ctrl + : 　現在の時刻を入力

---

# 仕事が速い人は使っている **Alt**
## ～アルトじゃないよ　オルトだよ～

### ショートカットといえば、**Alt**

> Excel初心者　アルト？　押したことありません。
>
> Excelできる人　オルトね。よく使うよ。

　ショートカットキーと言えば、**Alt**（オルト）です。アルトじゃないですよ、オルトです。**Alternate**（代用）の**Alt**です。**Ctrl**や**Shift**と同様に、他のキーと一緒に押すことで、様々な機能を実行できます。

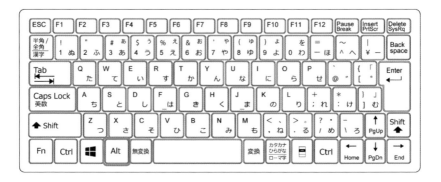

## **Alt** を押してみて

　Excel初心者は、**Alt**を使いません。だって、その便利さを教わっていませんから。ですが、一度**Alt**を押してみてください。

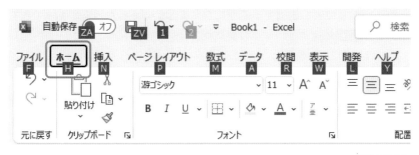

Altを押すと

なんかタブやアイコンにアルファベットが出てきましたよね。試しにホームの**H**を押してみてください。

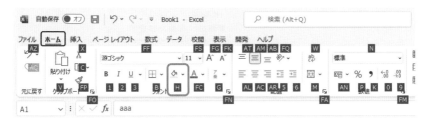

Altの後、**H**を押す

今度はホームタブにあるアイコンにアルファベットが出てきました。
塗りつぶしの**H**を押してみてください。

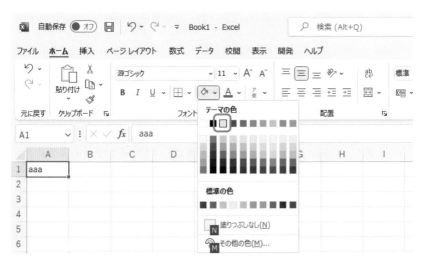

テーマの色が出る

塗りつぶしの色を選択する画面になりました。そこから矢印キーで色を選択して**Enter**を押すと、セルの塗りつぶしができます。

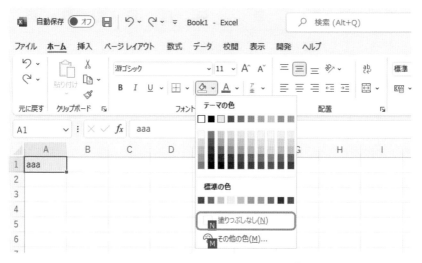

**N**を押して塗りつぶしなしに

　塗りつぶしを消す場合は、**N**を押せば**塗りつぶしなし**になります。

　このように、**Alt**を押して出てくるアルファベットを順番に押していくと、Excel上で特定の操作を実行することができます。いつもマウスでアイコンをクリックしていたことが、キーボード上で完結するということです。
　「マウスを使うな」という外資系の人たちは、この**Alt**を多用しています。

# よく使う **Alt** →○→○は覚えよう。てか使っていたら勝手に覚える

　「**Alt**→**H**→**H**→色を選択→**Enter**」で塗りつぶしができます。
　こう書くと、あたかもキーボードを順番に1つ1つ押しているように見えて、あまり速いと思わないかもしれません。しかし、実際はタッチタイピングのように1秒もかからず入力しています。
　試しにやってみてください。2、3回やれば誰でも1秒でできるようになりますから。

Excelのすべての操作に Alt ＋○のような便利なショートカットが備わっているわけではありません。よく使う「 Alt →○→○」は、何回か使ううちに勝手に覚えます。

　初めは少し戸惑いますがすぐ慣れますから。

- Alt → H → O → I （列幅の自動調整）「オルト、ホイ」
- Alt → O → R → E （行の高さの変更）「オルト、俺！」
- Alt → W → F → F （ウィンドウ枠の固定）「Window Frame Fix」

こじつけで覚えることもできます。

## よく使う「 Alt →○→○」

Alt → H → H 　　　：セルの塗りつぶし

Alt → H → H → N 　：塗りつぶしなし

Alt → H → F → C 　：フォントの色

Alt → H → F → F 　：フォント

Alt → H → O → I 　：列幅の自動調整

Alt → H → B → A 　：罫線（格子）の追加

Alt → O → R → E 　：行の高さの変更

Alt → W → F → F 　：ウィンドウ枠の固定／解除

# Ctrl + 1 で「セルの書式設定」
## ～ショートカットの王道「セルの書式設定」～

セルの書式、表示形式を変えるとき、

Excel初心者　右クリック→［セルの書式設定］

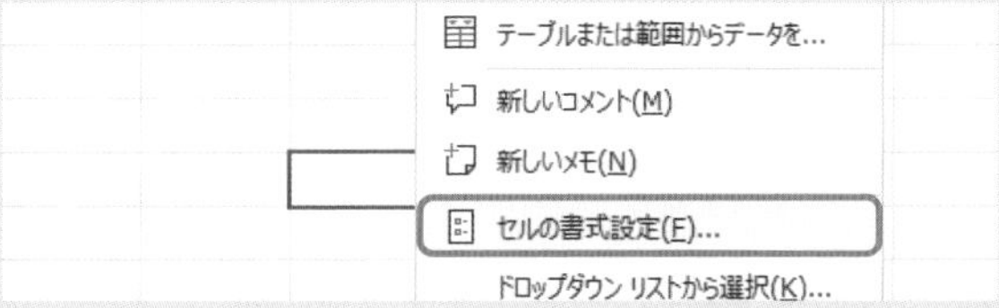

|  |  |
|---|---|
|  | ▦ テーブルまたは範囲からデータを… |
|  | 🗩 新しいコメント(M) |
|  | 🗋 新しいメモ(N) |
|  | ⊞ セルの書式設定(F)… |
|  | ドロップダウン リストから選択(K)… |

Excelできる人　Ctrl + 1 でしょ。

　ショートカットといえば、Ctrl +アルファベットが一般的ですが、数字の「1」が採用された王道ショートカットが「セルの書式設定」です。テンキーではなく、キーボードの「1」を使用します。

　Excel初心者は書式や表示形式と聞いても、「え、フォントを変えるならリボンから選べばいいでしょ」「フォントの色も【A】のとこ押せばいいじゃん」ってなります。いえいえ、セルの書式設定で設定できるのはフォントとフォントの色だけではありません。

　セルの書式設定は、Excelができる人ならものすごく多用します。表示形式や罫線を引くとき、Ctrl + 1 で「セルの書式設定」を開くようにしましょう。

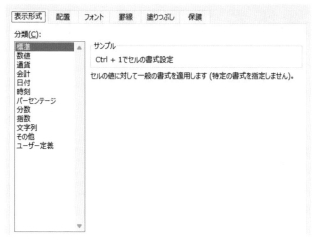

セルの書式設定

## Ctrl ＋数字

Ctrl ＋ 1 以外にも、Ctrl ＋数字のショートカットがあります。すべて覚える必要はありませんが、5（取り消し線）、9（行の非表示）、0（列の非表示）などはよく使うので、覚えておくといいでしょう。

| | A | B |
|---|---|---|
| 1 | Ctrl+1 | 「セルの書式設定」 |
| 2 | Ctrl+2 | **太字** |
| 3 | Ctrl+3 | *斜体* |
| 4 | Ctrl+4 | 下線 |
| 5 | Ctrl+5 | 取り消し線 |
| 6 | Ctrl+6 | オブジェクトの表示／非表示 |
| 7 | Ctrl+7 | |
| 8 | Ctrl+8 | アウトラインの表示／非表示 |
| 9 | Ctrl+9 | 行の非表示 |
| 10 | Ctrl+0 | 列の非表示 |

Ctrl ＋数字のショートカット一覧

Ctrl ＋ 2 は Ctrl ＋ B（太字）、Ctrl ＋ 3 は Ctrl ＋ I（斜体）、Ctrl ＋ 4 は Ctrl ＋ U（下線）と一緒ですね。なぜか 7 は欠番です。

# 超大事な移動と
# 選択をマスターしよう

次に覚えてほしいのは、**移動と選択**です。

Excel初心者は、セルを選ぶとき、該当するセルをマウスでクリックするか、矢印キーを押して目的のセルまでカーソルを移動させます。大半の人はExcelを使い始めたときにそう教わったか、もしくは直感的にそのように操作しているのではないでしょうか。中には Enter で下のセルに移動、 Tab で右のセルに移動をしている人もいるでしょう。

1画面上ならまだいいです。しかし、データが多い場合、マウスでバーをスライドさせたり、マウスホイールで画面をスクロールしたりして、一番下や目的のセルまで移動させる必要があります。大変面倒です。いや、面倒だと思ってください。

選択も同様です。選択したいセルをマウスでクリック、選択したい範囲をドラッグしていてはダメです。人生の貴重な時間を、移動と選択に費やしている人が多すぎです。ぜひマスターしましょう。

## Ctrl + ↑ / ↓ / ← / → で一気に移動

**Ctrl** ＋矢印で表の先頭・末尾まで一気に移動します。数百行、数千行あろうが、一瞬で移動できます。

| | A | B | C | D | E | F | G | H | I | J | K |
|---|---|---|---|---|---|---|---|---|---|---|---|
| 1 | A1 | B1 | | | | | | | | J1 | |
| 2 | A2 | B2 | C2 | D2 | E2 | F2 | G2 | H2 | I2 | J2 | |
| 3 | A3 | B3 | C3 | D3 | E3 | F3 | G3 | H3 | I3 | J3 | |
| 4 | A4 | B4 | C4 | データの端まで一気に移動 | | | | I4 | J4 | | |
| 5 | A5 | B5 | C5 | D5 | E5 | F5 | G5 | H5 | I5 | J5 | |
| 6 | A6 | B6 | C6 | D6 | Ctrl ＋ → 6 | H6 | I6 | J6 | | | |
| 7 | A7 | B7 | C7 | D7 | E7 | F7 | G7 | H7 | I7 | J7 | |
| 8 | A8 | B8 | C8 | D8 | E8 | F8 | G8 | H8 | I8 | J8 | |
| 9 | A9 | B9 | C9 | D9 | E9 | F9 | G9 | H9 | I9 | J9 | |
| 10 | A10 | B10 | C10 | D10 | E10 | F10 | G10 | H10 | I10 | J10 | |

|  | A | B | C | D | E | F | G | H | I | J | K |
|---|---|---|---|---|---|---|---|---|---|---|---|
| 1 | A1 | B1 | C1 | D1 | E1 | F1 | G1 | H1 | I1 | J1 | |
| 2 | A2 | B2 | C2 | D2 | E2 | F2 | G2 | H2 | I2 | J2 | |
| 3 | A3 | B3 | C3 | D3 | E3 | F3 | G3 | H3 | I3 | J3 | |
| 4 | A4 | B4 | C4 | D4 | E4 | F4 | G4 | H4 | I4 | J4 | |
| 5 | A5 | B5 | C5 | D5 | E5 | F5 | G5 | H5 | I5 | J5 | |
| 6 | A6 | B6 | C6 | D6 | E6 | F6 | G6 | H6 | I6 | J6 | |
| 7 | A7 | B7 | C7 | D7 | E7 | F7 | G7 | H7 | I7 | J7 | |
| 8 | A8 | B8 | C8 | D8 | E8 | F8 | G8 | H8 | I8 | J8 | |
| 9 | A9 | B9 | C9 | D9 | E9 | F9 | G9 | H9 | I9 | J9 | |
| 10 | A10 | B10 | C10 | D10 | E10 | F10 | G10 | H10 | I10 | J10 | |
| 11 | | | | | | | | | | | |
| 12 | | | | | | | | | | | |
| 13 | | | | | | | | | | | |
| 14 | | | | | | | | | | | |

**データの端まで一気に移動**

**Ctrl ＋ ↓**

注意点として、途中に**空白セル**がある場合、そこで止まってしまいます。最終列を選択したいのに、途中の空白セルで止まるのはストレスです。

ここではデータベースファースト（空白セルを作らない）の考えが活きてきます（Chapter 5 で説明します）。入力するデータがない場合は、「0」や「-（ハイフン）」などを入力するようにしましょう。

|  | A | B | C | D | E | F | G | H | I | J | K |
|---|---|---|---|---|---|---|---|---|---|---|---|
| 1 | A1 | | | D1 | | F1 | G1 | H1 | I1 | J1 | |
| 2 | A2 | B2 | C2 | D2 | E2 | F2 | G2 | H2 | I2 | J2 | |
| 3 | A3 | B3 | C3 | D3 | E3 | F3 | G3 | H3 | I3 | J3 | |
| 4 | A4 | B4 | C4 | D4 | E4 | F4 | G4 | H4 | I4 | J4 | |
| 5 | A5 | B5 | C5 | D5 | E5 | F5 | G5 | H5 | I5 | J5 | |
| 6 | A6 | B6 | C6 | D6 | E6 | F6 | G6 | H6 | I6 | J6 | |
| 7 | A7 | B7 | C7 | D7 | E7 | F7 | G7 | H7 | I7 | J7 | |
| 8 | A8 | B8 | C8 | D8 | E8 | F8 | G8 | H8 | I8 | J8 | |
| 9 | A9 | B9 | C9 | D9 | E9 | F9 | G9 | H9 | I9 | J9 | |
| 10 | A10 | B10 | C10 | D10 | E10 | F10 | G10 | H10 | I10 | J10 | |
| 11 | | | | | | | | | | | |
| 12 | | | | | | | | | | | |
| 13 | | | | | | | | | | | |
| 14 | | | | | | | | | | | |

**空白セルがあるとそこで止まってしまう**

**Ctrl ＋ →**

## （余談）Excelの最終行、最終列

Excelの最終行って何行目か知っていますか？ Excel 2007以降では1,048,576行目です（Excel 2003以前は65,536行目でした）。これ、↓だけで最終行にたどり着いたYouTube動画があります。

「INSANE EXCEL CHALLENGE - Over 9 hours to reach the bottom of

Excel..」という名前の動画です。（2023年3月現在。URLはこちら→https://www.youtube.com/watch？v=thvcTyJvRvM）

　なんと、9時間36分もかかるそうです。

　もちろんこれ、 **Ctrl** ＋ **↓** を使えば、一瞬でたどり着きます。ショートカットを知らないと、一瞬で終わる作業が何時間もかかってしまうことがあるのです。「今やっているExcel作業は、実は一瞬で終わる方法があるのではないか」←こういうふうに常に考えてください。

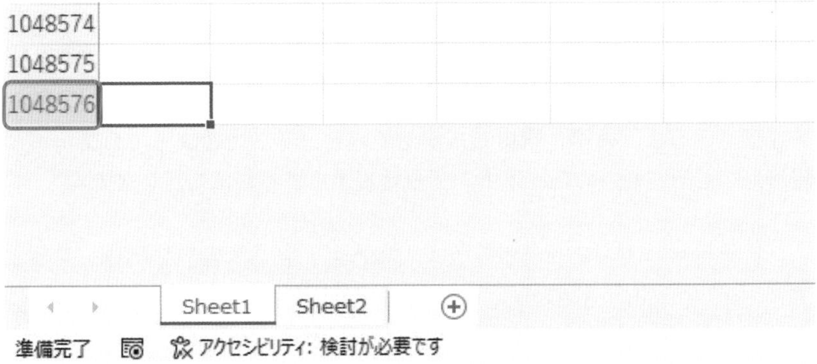

| 1048574 | |
| 1048575 | |
| 1048576 | |

Sheet1　Sheet2　⊕

準備完了　🗔　⚡ アクセシビリティ: 検討が必要です

一瞬で最終行にたどりつく

　ちなみに最終列は、Excel2007以降はXFD列で、16,384列目にあります。Excel2003以前はIV列で、256列目でした。てかExcel2003→2007の進化ハンパないな。

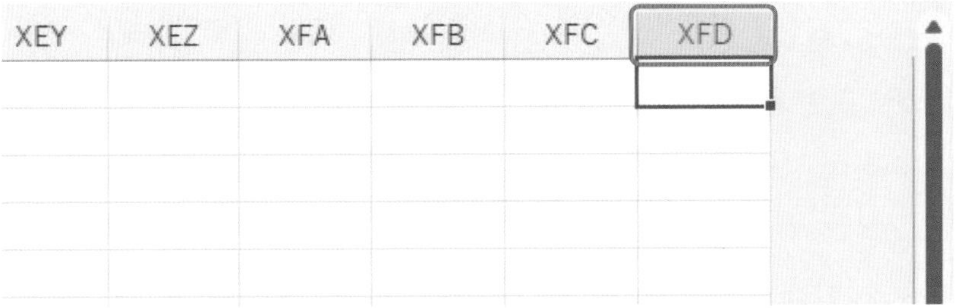

| XEY | XEZ | XFA | XFB | XFC | XFD |
| | | | | | |

最終列

# Ctrl + Shift + 矢印で一気に選択

さらに Shift を加えて、 Ctrl + Shift +矢印で表の先頭・末尾まで一気に選択します。 Ctrl + Shift + → で右端まで選択、さらに ↓ で下端まで選択できます。やはり空白セルがあると、そこで止まってしまいますので注意しましょう。

| | A | B | C | D | E | F | G | H | I | J | K |
|---|---|---|---|---|---|---|---|---|---|---|---|
| 1 | A1 | B1 | C1 | D1 | E1 | F1 | G1 | H1 | I1 | J1 | |
| 2 | A2 | B2 | C2 | D2 | E2 | F2 | G2 | H2 | I2 | J2 | |
| 3 | A3 | B3 | C3 | D3 | E3 | F3 | G3 | H3 | I3 | J3 | |
| 4 | A4 | B4 | C4 | データの右端まで一気に選択 | | | | | I4 | J4 | |
| 5 | A5 | B5 | C5 | D5 | E5 | F5 | G5 | H5 | I5 | J5 | |
| 6 | A6 | B6 | C6 | D6 | Ctrl + Shift + → | | | H6 | I6 | J6 | |
| 7 | A7 | B7 | C7 | D7 | E7 | F7 | G7 | H7 | I7 | J7 | |
| 8 | A8 | B8 | C8 | D8 | E8 | F8 | G8 | H8 | I8 | J8 | |
| 9 | A9 | B9 | C9 | D9 | E9 | F9 | G9 | H9 | I9 | J9 | |
| 10 | A10 | B10 | C10 | D10 | E10 | F10 | G10 | H10 | I10 | J10 | |

| | A | B | C | D | E | F | G | H | I | J | K |
|---|---|---|---|---|---|---|---|---|---|---|---|
| 1 | A1 | B1 | C1 | D1 | E1 | F1 | G1 | H1 | I1 | J1 | |
| 2 | A2 | B2 | C2 | D2 | E2 | F2 | G2 | H2 | I2 | J2 | |
| 3 | A3 | B3 | C3 | D3 | E3 | F3 | G3 | H3 | I3 | J3 | |
| 4 | A4 | B4 | C4 | D4 | E4 | F4 | G4 | H4 | I4 | J4 | |
| 5 | A5 | B5 | C5 | D5 | E5 | F5 | G5 | H5 | I5 | J5 | |
| 6 | A6 | B6 | C6 | D6 | E6 | F6 | G6 | H6 | I6 | J6 | |
| 7 | A7 | B7 | C7 | D7 | E7 | F7 | G7 | H7 | I7 | J7 | |
| 8 | A8 | B8 | C8 | D8 | E8 | F8 | G8 | H8 | I8 | J8 | |
| 9 | A9 | B9 | C9 | D9 | E9 | F9 | G9 | H9 | I9 | J9 | |
| 10 | A10 | B10 | C10 | D10 | E10 | F10 | G10 | H10 | I10 | J10 | |
| 11 | | | | | | | | | | | |
| 12 | | | | データの下端まで一気に選択 | | | | | | | |
| 13 | | | | | | | | | | | |
| 14 | | | | Ctrl + Shift + ↓ | | | | | | | |
| 15 | | | | | | | | | | | |

# Shift ＋矢印で選択範囲を1行・1列ずつ変更

さらに Shift ＋矢印で選択範囲を1行・1列ずつ変更できます。

| | A | B | C | D | E | F | G | H | I | J | K |
|---|---|---|---|---|---|---|---|---|---|---|---|
| 1 | A1 | B1 | C1 | D1 | E1 | F1 | G1 | H1 | I1 | J1 | |
| 2 | A2 | B2 | C2 | D2 | E2 | F2 | G2 | H2 | I2 | J2 | |
| 3 | A3 | B3 | C3 | D3 | E3 | F3 | G3 | H3 | I3 | J3 | |
| 4 | A4 | B4 | C4 | D4 | E4 | F4 | G4 | H4 | I4 | J4 | |
| 5 | A5 | B5 | C5 | D5 | E5 | F5 | G5 | H5 | I5 | J5 | |
| 6 | A6 | B6 | C6 | D6 | E6 | F6 | G6 | H6 | I6 | J6 | |
| 7 | A7 | B7 | C7 | D7 | E7 | F7 | G7 | H7 | I7 | J7 | |
| 8 | A8 | B8 | C8 | D8 | E8 | F8 | G8 | H8 | I8 | J8 | |
| 9 | A9 | B9 | C9 | D9 | E9 | F9 | G9 | H9 | I9 | J9 | |
| 10 | A10 | B10 | C10 | D10 | E10 | F10 | G10 | H10 | I10 | J10 | |
| 11 | | | | | | | | | | | |
| 12 | | | | 1行ずつ選択範囲を変更する | | | | | | | |
| 13 | | | | | | | | | | | |
| 14 | | | | Shift ＋ ↑ | | | | | | | |
| 15 | | | | | | | | | | | |

| | A | B | C | D | E | F | G | H | I | J | K |
|---|---|---|---|---|---|---|---|---|---|---|---|
| 1 | A1 | B1 | C1 | D1 | E1 | F1 | G1 | H1 | I1 | J1 | |
| 2 | A2 | B2 | C2 | D2 | E2 | F2 | G2 | H2 | I2 | J2 | |
| 3 | A3 | B3 | C3 | D3 | E3 | F3 | G3 | H3 | I3 | J3 | |
| 4 | A4 | B4 | C4 | D4 | E4 | F4 | G4 | H4 | I4 | J4 | |
| 5 | A5 | B5 | C5 | D5 | E5 | F5 | G5 | H5 | I5 | J5 | |
| 6 | A6 | B6 | C6 | D6 | E6 | F6 | G6 | H6 | I6 | J6 | |
| 7 | A7 | B7 | C7 | D7 | E7 | F7 | G7 | H7 | I7 | J7 | |
| 8 | A8 | B8 | C8 | D8 | E8 | F8 | G8 | H8 | I8 | J8 | |
| 9 | A9 | B9 | C9 | D9 | E9 | F9 | G9 | H9 | I9 | J9 | |
| 10 | A10 | B10 | C10 | D10 | E10 | F10 | G10 | H10 | I10 | | |
| 11 | | | | | | | | | | | |
| 12 | | | | 1列ずつ選択範囲を変更する | | | | | | | |
| 13 | | | | | | | | | | | |
| 14 | | | | Shift ＋ ← | | | | | | | |
| 15 | | | | | | | | | | | |

# Shift + Space で行全体を選択
# Ctrl + Space で列全体を選択

　行の順番を入れ替えたい、新しく1列追加したいときなど、行全体、列全体を選択するときのショートカットです。Shift + Space で行全体を選択、Ctrl + Space で列全体を選択できます。シート上の「1」や「A」をクリックしても行全体／列全体を選択できますが、ショートカットもぜひ使うようにしましょう。

|  | A | B | C | D | E | F | G | H | I | J | K |
|---|---|---|---|---|---|---|---|---|---|---|---|
| 1 | A1 | B1 | C1 | D1 | E1 | F1 | G1 | H1 | I1 | J1 |  |
| 2 | A2 | B2 | C2 | D2 | E2 | F2 | G2 | H2 | I2 | J2 |  |
| 3 | A3 | B3 | C3 | D3 | E3 | F3 | G3 | H3 | I3 | J3 |  |
| 4 | A4 | B4 | C4 | D4 | E4 | F4 | G4 | H4 | I4 | J4 |  |
| 5 | A5 | B5 | C5 | D5 | E5 | F5 | G5 | H5 | I5 | J5 |  |
| 6 | A6 | B6 | C6 | D6 | E6 | F6 | G6 | H6 | I6 | J6 |  |
| 7 | A7 | B7 | C7 | D7 | E7 | F7 | G7 | H7 | I7 | J7 |  |
| 8 | A8 | B8 | C8 | D8 | E8 | F8 | G8 | H8 | I8 | J8 |  |
| 9 | A9 | B9 | C9 | D9 | E9 | F9 | G9 | H9 | I9 | J9 |  |
| 10 | A10 | B10 | C10 | D10 | E10 | F10 | G10 | H10 | I10 | J10 |  |
| 11 |  |  |  |  |  |  |  |  |  |  |  |
| 12 |  |  |  |  |  |  |  |  |  |  |  |
| 13 |  |  |  |  |  |  |  |  |  |  |  |
| 14 |  |  |  |  |  |  |  |  |  |  |  |
| 15 |  |  |  |  |  |  |  |  |  |  |  |

### 行全体を選択
### Shift + Space

|  | A | B | C | D | E | F | G | H | I | J | K |
|---|---|---|---|---|---|---|---|---|---|---|---|
| 1 | A1 | B1 | C1 | D1 | E1 | F1 | G1 | H1 | I1 | J1 |  |
| 2 | A2 | B2 | C2 | D2 | E2 | F2 | G2 | H2 | I2 | J2 |  |
| 3 | A3 | B3 | C3 | D3 | E3 | F3 | G3 | H3 | I3 | J3 |  |
| 4 | A4 | B4 | C4 | D4 | E4 | F4 | G4 | H4 | I4 | J4 |  |
| 5 | A5 | B5 | C5 | D5 | E5 | F5 | G5 | H5 | I5 | J5 |  |
| 6 | A6 | B6 | C6 | D6 | E6 | F6 | G6 | H6 | I6 | J6 |  |
| 7 | A7 | B7 | C7 | D7 | E7 | F7 | G7 | H7 | I7 | J7 |  |
| 8 | A8 | B8 | C8 | D8 | E8 | F8 | G8 | H8 | I8 | J8 |  |
| 9 | A9 | B9 | C9 | D9 | E9 | F9 | G9 | H9 | I9 | J9 |  |
| 10 | A10 | B10 | C10 | D10 | E10 | F10 | G10 | H10 | I10 | J10 |  |
| 11 |  |  |  |  |  |  |  |  |  |  |  |
| 12 |  |  |  |  |  |  |  |  |  |  |  |
| 13 |  |  |  |  |  |  |  |  |  |  |  |
| 14 |  |  |  |  |  |  |  |  |  |  |  |
| 15 |  |  |  |  |  |  |  |  |  |  |  |

### 列全体を選択
### Ctrl + Space

ただし、日本語モードのときは Shift + Space で「□（半角スペース）」が入力されますので、ご注意ください。ちなみに日本語モードとは、IMEが「あ」のときです。半角モードが「A」のときです。

日本語モードと半角モード

# Ctrl + Shift + + で行／列を追加
# Ctrl + - で行／列を削除

　合わせて覚えてほしいのが行／列の追加・削除です。これもよく使います。

# Ctrl + A で全選択

　Ctrl + A は表の全選択です。表の中ならどこのセルから押しても表全体が選択される優れものです。Ctrl + A （All）で覚えやすいのもいいですね。Chapter2-3でも説明しました。

# Shift + ドラッグでデータを移動する

　表のデータを移動するとき、どうしていますか？　「項目を選択」→「移動させたいところへドラッグ」。これだと移動先の項目が消えてしまいます。Excel初心者は切り取って別の場所へ貼り付け。データを移したい場所を空けて、先ほど切り取った項目を持っていく。これでとりあえず目的は達しましたが、面倒ですよね。面倒だと思ってください。

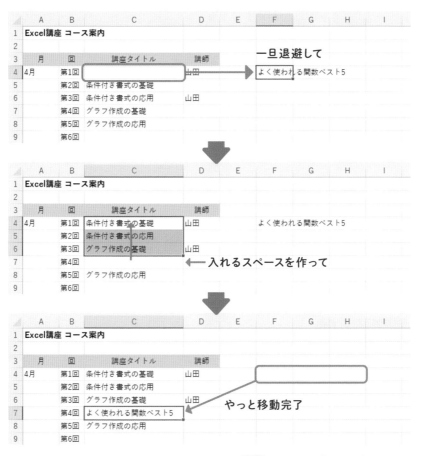

Shift +ドラッグを使わないデータの移動

　ドラッグするときに Shift を押してみてください。□□□ が ├──┤ になりましたよね。そのままマウスボタンを離すと、データの移動ができます。みなさんがやりたいデータの移動はこれのはずです。

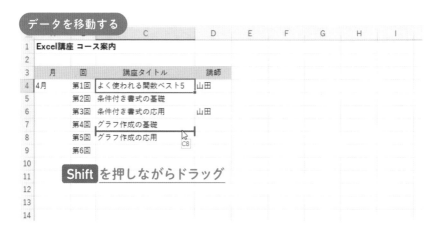

ちなみに **Ctrl** を押しながらだと **コピーして貼り付ける**、**Ctrl** ＋ **Shift** を押しながらだと **コピーして挿入する**。こちらも併せて覚えておくと便利です。

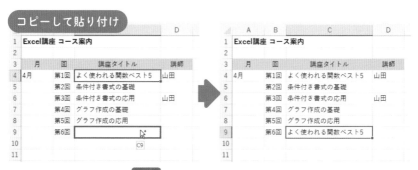

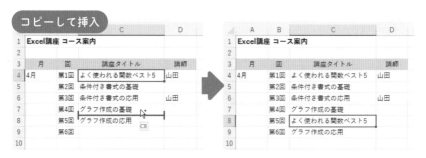

# Ctrl + PgDn ／ Ctrl + PgUp でシート間の移動

　Sheet2を見たいとき、左下のシート見出しをクリックしていませんか？
これ、面倒だと思ったことはありませんか？　いや、面倒だと思ってくだ
さい。Ctrl を押しながら PgDn で1つ右のシートに移動できます。ナビゲー
ションキーのChapter2-2でも紹介しましたね。

# Tab で右のセルに移動

　セルに何か入力して、右隣のセルに移動したいとき、→ を押していませ
んか？　文字や数字を打った手を一旦離して矢印キーまで手を持っていく
のって、意外と手間ですよね。そんなときは、Tab を使ってください。左
手の小指でチョンと押すだけです。矢印キーを使うのに比べれば一瞬です。
　もし行き過ぎてしまったら、Shift + Tab で左に戻れます。

# Enter で下のセルに移動

　これは知っている人が多いかもしれません。Tab と同様、1つ下のセルに移動するのに矢印キーまで手を動かすのは時間が勿体無いです。Enter で下に移動しましょう。これも右手の小指でチョンとやるだけです。

　上に移動したいときは Shift + Enter です。

# わからなくなったらこれを見てくれ！

　さて、Excelの移動と選択について述べてきましたが、結構たくさんあって覚えるのが大変ですよね。でも初めはそれでいいんです、わからなくなったらすぐに↓の図を見て、それで思い出してください。使っているうちに、いつの間にか手が覚えてくれますから。

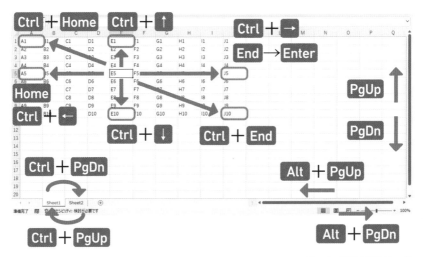

Excelの移動と選択の一覧

# Chapter 3

## 使いこなしたい
## 超便利な機能

## Ch 3-1

超便利な機能

# コピペを使いこなす

---

### セルのコピペをしたいとき、

**Excel初心者** | `Ctrl` + `C` → `Ctrl` + `V` でコピペして、
表の書式が崩れる、参照がずれてエラー値になる

**Excelできる人** | 「貼り付けオプション」をよく使う
形式を選択して貼り付け `Ctrl` + `Alt` + `V` をよく使う
上のセルは `Ctrl` + `D` ／左のセルは `Ctrl` + `R` でコピペする

---

Excel操作といえば**コピー&ペースト**、いわゆるコピペです。

「コピペは知ってるよ。`Ctrl` + `C` でコピーして、`Ctrl` + `V` で貼り付けでしょ」←もちろんそうですが、表をコピペして書式が崩れる、数式をコピペしたらエラー値になる、そんなことはありませんか？

貼り付けにはいろいろな種類があります。貼り付けアイコンをクリックしてみてください。もちろん全部覚える必要はありません。

貼り付けアイコンを開いたところ

Ctrl + V で貼り付けた後、右下に貼り付けアイコンが出現し、こちらから選択することもできます。

右下に出てくる貼り付けアイコン

## 貼り付けオプション

よく使う貼り付けオプションはこの3つです。
「値の貼り付け」「書式の貼り付け」「行／列を入れ替えて貼り付け」

### 値の貼り付け

値だけ貼り付けたいときは、貼り付けオプションから「値」を選択します。

「値」の選択

書式はクリアされ、数式ではなく値だけが貼り付けされます。

| | A | B | C | D | E | F | G | H | I |
|---|---|---|---|---|---|---|---|---|---|
| 1 | 果物 | 金額 | 個数 | 合計 | | 果物 | 金額 | 個数 | 合計 |
| 2 | リンゴ | 100 | 25 | 2,500 | | リンゴ | 100 | 25 | 2500 |
| 3 | オレンジ | 120 | 20 | 2,400 | | オレンジ | 120 | 20 | 2400 |
| 4 | バナナ | 190 | 46 | 8,740 | | バナナ | 190 | 46 | 8740 |
| 5 | レモン | 240 | 32 | 7,680 | | レモン | 240 | 32 | 7680 |
| 6 | | | | | | | | | |

D2セルは「=B2*C2」の数式ですが、

値の貼り付けをしたI2セルは「2500」という値になっています。

## 書式の貼り付け

逆に書式のみ貼り付けたいときは、貼り付けオプションから「書式設定」を選択します。

「書式設定」の選択

書式のみ（背景色と罫線）が貼り付けされました。

| | A | B | C | D | E | F | G | H | I |
|---|---|---|---|---|---|---|---|---|---|
| 1 | 果物 | 金額 | 個数 | 合計 | | | | | |
| 2 | リンゴ | 100 | 25 | **2,500** | | | | | |
| 3 | オレンジ | 120 | 20 | **2,400** | | | | | |
| 4 | バナナ | 190 | 46 | **8,740** | | | | | |
| 5 | レモン | 240 | 32 | **7,680** | | | | | |
| 6 | | | | | | | | | |

I列は、コピー元のD列の書式（太字、桁区切り）も貼り付けされています。

| | A | B | C | D | E | F | G | H | I |
|---|---|---|---|---|---|---|---|---|---|
| 1 | 果物 | 金額 | 個数 | 合計 | | | | | |
| 2 | リンゴ | 100 | 25 | **2,500** | | | | | **1,000** |
| 3 | オレンジ | 120 | 20 | **2,400** | | | | | |
| 4 | バナナ | 190 | 46 | **8,740** | | | | | |
| 5 | レモン | 240 | 32 | **7,680** | | | | | |
| 6 | | | | | | | | | |

## 行／列を入れ替えて貼り付け

　行と列を入れ替えて貼り付けたいときは、貼り付けオプションから「行／列の入れ替え」を選択します。

「行／列の入れ替え」の選択

| | A | B | C | D | E |
|---|---|---|---|---|---|
| 1 | 果物 | 金額 | 個数 | 合計 | |
| 2 | リンゴ | 100 | 25 | **2,500** | |
| 3 | オレンジ | 120 | 20 | **2,400** | |
| 4 | バナナ | 190 | 46 | **8,740** | |
| 5 | レモン | 240 | 32 | **7,680** | |
| 6 | | | | | |

| | F | G | H | I | J |
|---|---|---|---|---|---|
| 1 | 果物 | リンゴ | オレンジ | バナナ | レモン |
| 2 | 金額 | 100 | 120 | 190 | 240 |
| 3 | 個数 | 25 | 20 | 46 | 32 |
| 4 | 合計 | **2,500** | **2,400** | **8,740** | **7,680** |

　この「行／列の入れ替え」を知らないExcel初心者は、セルを1つ1つコピペして、力技で行と列を入れ替えるハメになります。私がそうでした😣

## ショートカットもある Ctrl + Alt + V

　先ほど紹介した貼り付けオプション。ショートカットでも同じ操作ができます。Ctrl＋Vに Alt を追加して、Ctrl＋Alt＋Vを押すと「形式を選択して貼り付け」が表示されます。

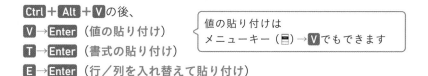

形式を選択して貼り付け

何回も使っていれば、勝手に覚えます。

Ctrl + Alt + V の後、
V→Enter（値の貼り付け）
T→Enter（書式の貼り付け）
E→Enter（行／列を入れ替えて貼り付け）

値の貼り付けは
メニューキー（☰）→ V でもできます

## 演算を貼り付け

「演算を貼り付けるってどういうこと？」←お、よく気付きましたね。これも知っておくと便利な機能です。

| | A | B | C | D |
|---|---|---|---|---|
| 1 | 10 | | 100 | |
| 2 | | | 200 | |
| 3 | | | 1000 | |
| 4 | | | 2000 | |
| 5 | | | 10000 | |
| 6 | | | 20000 | |

たとえばC列の値すべてに、A1セルの値（10）を足すとします。D1セル
に「=C1+$A$1」としてもいいのですが、列が1つ増えてしまいます。

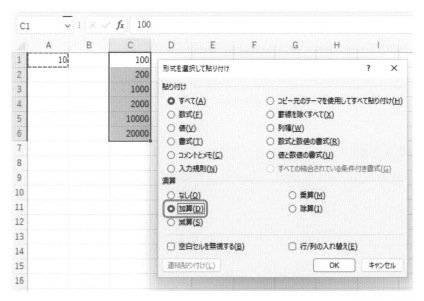

　A1セル（10）をコピーして、加算したいC列の値を選択し、Ctrl + Alt
+ V、演算にある［加算］を選択して［OK］を押します。

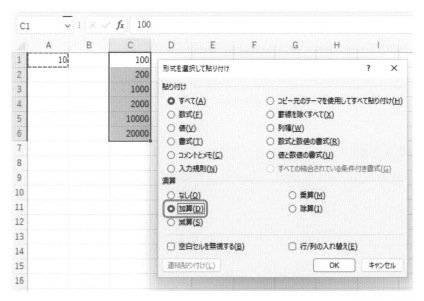

　すると、C列の値にA1セルの値（10）が加算されました。こういうふう
に使います。知っていると何かと便利です。

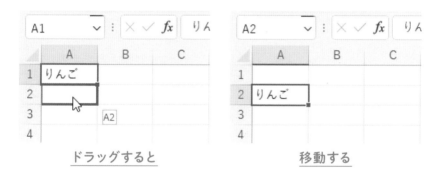

## Ctrl + ドラッグでもコピペできる

セルを選択して緑枠をドラッグすると、セルの内容が移動します。

ドラッグすると

移動する

実はこれ、Ctrl を押しながらドラッグすると、小さい「+」が現れて、コピペすることができます。

Ctrl を押しながらドラッグすると

コピーされる

移動と選択のところでも紹介しましたね。覚えていなくても大丈夫です。こうやって何回もやっているうちに覚えます👍

## シートもコピーできる

この操作、シートをコピーするときに超便利です。

シートのコピーって割と面倒ですよね。シート見出しを右クリック→［移動またはコピー］→［コピーを作成する］をチェック→［OK］をクリック。こんなに手順を踏んで、やっとシートがコピーされます。

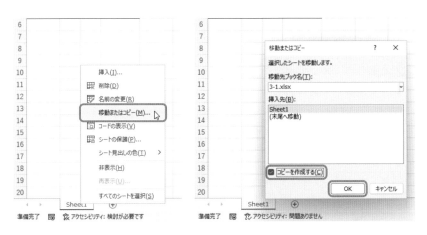

もうこんなに手間をかけるのはやめましょう。

シート見出しを Ctrl ＋ドラッグ。これで終わりです。

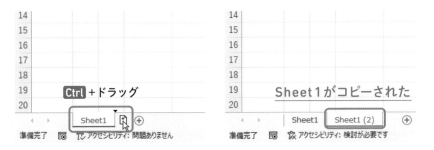

# これも使ってみて Ctrl + D と Ctrl + R

Ctrl + D と Ctrl + R もぜひ使ってみてください。Ctrl + C がメジャーすぎて影が薄いですが、めちゃくちゃ便利なショートカットです。

## Ctrl + D で上のセルをコピペ（下にコピペ）

A2セルを選択している状態で、Ctrl + D を押すと、上のセル（A1）をコピペします。

Ctrl + D

| | A |
|---|---|
| 1 | Ctrl+Dで上のセルをコピペ |
| 2 | |
| 3 | |
| 4 | |

| | A |
|---|---|
| 1 | Ctrl+Dで上のセルをコピペ |
| 2 | Ctrl+Dで上のセルをコピペ |
| 3 | |
| 4 | |

複数セルを選択している状態でCtrl + Dを押すと、一番上のセル（A1）の値が、選択しているセル全体にコピペされます。

Ctrl + D

| | A |
|---|---|
| 1 | Ctrl+Dで上のセルをコピペ |
| 2 | |
| 3 | |
| 4 | |
| 5 | |
| 6 | |
| 7 | |

| | A |
|---|---|
| 1 | Ctrl+Dで上のセルをコピペ |
| 2 | Ctrl+Dで上のセルをコピペ |
| 3 | Ctrl+Dで上のセルをコピペ |
| 4 | Ctrl+Dで上のセルをコピペ |
| 5 | Ctrl+Dで上のセルをコピペ |
| 6 | |
| 7 | |

数式や関数も同様にコピペされます。

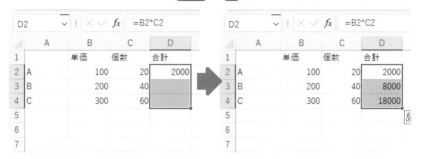

## Ctrl + R で左のセルをコピペ（右にコピペ）

同様に、 Ctrl + R で左のセルがコピペされます。

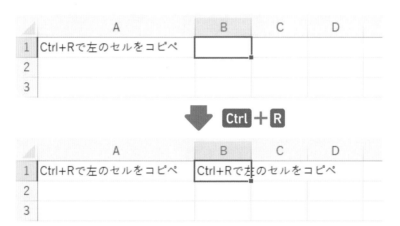

複数セルのコピペもできます。

| | A | B | C | D | E |
|---|---|---|---|---|---|
| 1 | Ctrl+Rで左のセルをコピペ | | | | |
| 2 | Ctrl+Rで左のセルをコピペ | | | | |
| 3 | Ctrl+Rで左のセルをコピペ | | | | |
| 4 | Ctrl+Rで左のセルをコピペ | | | | |
| 5 | Ctrl+Rで左のセルをコピペ | | | | |
| 6 | Ctrl+Rで左のセルをコピペ | | | | |
| 7 | | | | | |

Ctrl + R

| | A | B | C | D | E |
|---|---|---|---|---|---|
| 1 | Ctrl+Rで左のセルをコピペ | Ctrl+Rで左のセルをコピペ | | | |
| 2 | Ctrl+Rで左のセルをコピペ | Ctrl+Rで左のセルをコピペ | | | |
| 3 | Ctrl+Rで左のセルをコピペ | Ctrl+Rで左のセルをコピペ | | | |
| 4 | Ctrl+Rで左のセルをコピペ | Ctrl+Rで左のセルをコピペ | | | |
| 5 | Ctrl+Rで左のセルをコピペ | Ctrl+Rで左のセルをコピペ | | | |
| 6 | Ctrl+Rで左のセルをコピペ | Ctrl+Rで左のセルをコピペ | | | |
| 7 | | | | | |

Ctrl + Dは下（Down）にコピーなのでD、Ctrl + Rは右（Right）にコピーなのでRで覚えましょう。

Ctrl + Alt + V　形式を選択して貼り付け

Ctrl + ドラッグ　シートのコピー

Ctrl + D　（上のセルを）下にコピペ

Ctrl + R　（左のセルを）右にコピペ

# 「書式」と「表示形式」の違いがわかりません

「書式」と「表示形式」の違いって理解していますか？　私はよくわかっていませんでした😬

## 初心者の場合

- 「1000」を太字・赤字で「**1000**」にすることを「書式を変える」。←正解。
- 「1000」を手入力で「1,000円」にする、つまり「,（カンマ）」と「円」を入力することを「表示形式を変える」。←不正解、惜しい。

こんな感じの理解でした。
手入力した「1,000円」は文字列です。文字列は計算できない値でしたね。

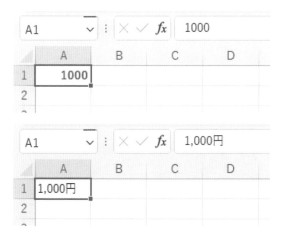

太字・赤字にした「**1000**」。
「書式」を変えた。

「1,000円」と手入力して
「表示形式」を変えたつもり。

## 「書式」とは

「書式」は文字や表の見せ方を設定するもので、フォントや太字、文字色、背景色、罫線などです。

「書式」を変えた。

## 「表示形式」とは

　一方「表示形式」は、セルの値の見せ方を設定するもので、数値、文字列、パーセント、通貨表示、指数表示、カンマをつける、末尾に"様"をつける、などです。

「表示形式」を変えた。A列の値はすべて「1000」という数値。

　なんとなく理解できたでしょうか。
　大事なことは、「書式」や「表示形式」を変えても、セルに入っている値自体は変わっていない、ということです。上記の例の場合、見え方は変わっても、セルの値「1000」という数値は変わりません。これは理解しておいてください。

# セルを「箱」で考える

　セルはよく「箱」に例えられます。値をセル（箱）に格納し、表示形式と書式を設定して見え方を変えます。

　円表示の表示形式にしているセル（箱）に「1000」という値を格納した。

【表示形式】円表示

　太字・赤字にした（書式を変えた）。つまり、「表示形式を円表示にしているセルに「1000」という値を格納し、太字と赤字の書式を設定した」ということ。

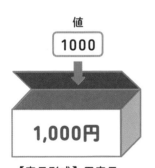

【表示形式】円表示
【書式①】太字
【書式②】赤字

文字も同様です。「表示形式が文字列のセルに、"Excel医"という文字を格納し、下線とHGS創英角ポップ体に書式を設定した」ということ。

【表示形式】文字列
【書式①】下線
【書式②】HGS創英角ポップ体

数式を入力した場合は、その計算結果がセルに表示されます。セルに格納した値はあくまでも「=1+2」という数式です。

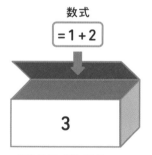

【表示形式】標準

「表示形式を1つ選択し、書式を加えていき見た目を整える」という理解です。表示形式は複数選択ができませんが、書式は複数選択ができます。

## 【セルの書式設定】を見てみよう

「セルの書式設定」を開いてみてください（**Ctrl**＋**1**）。表示形式はあくまでも書式の中に含まれます。配置、フォント、罫線、塗りつぶしなどの書式を追加で設定します。

表示形式

「表示形式」どのような表示にするか、細かい設定はここでできます。

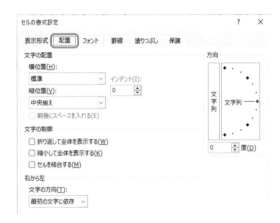

配置

「配置」セルの中で文字をどんな位置に表示するかを設定できます。

フォント

「フォント」文字通り、フォントの設定ができます。

罫線

「罫線」罫線の細かい設定はここでできます。

塗りつぶし

「塗りつぶし」セルの背景色が設定できます。

※「保護」も書式に含まれますが、本項では省略します。

# 「条件付き書式」を 使いこなす

「条件付き書式」 💬 これはExcel初心者にとっては曲者です。ようやく「書式」がなんとなく理解できたのに、「条件付き」ってなんやねん！ って感じですよね。

　条件といえば「**IF**」。もし○○なら××する、みたいなやつです。

　条件付き書式は、その字の通り、「もし○○なら（条件を決める）、書式を××にする（書式を設定する）」ってことなんです。

　とにかくやってみましょう。

## 土曜は青背景、日曜・祝日は赤背景

| | A | B | C | D |
|---|---|---|---|---|
| 1 | 日付 | 曜日 | 祝日 | 備考 |
| 2 | 2022/5/1 | 日 | | |
| 3 | 2022/5/2 | 月 | | |
| 4 | 2022/5/3 | 火 | 憲法記念日 | |
| 5 | 2022/5/4 | 水 | みどりの日 | |
| 6 | 2022/5/5 | 木 | こどもの日 | |
| 7 | 2022/5/6 | 金 | | |
| 8 | 2022/5/7 | 土 | | |
| 9 | 2022/5/8 | 日 | | |
| 10 | 2022/5/9 | 月 | | |
| 11 | 2022/5/10 | 火 | | |
| 12 | 2022/5/11 | 水 | | |
| 13 | 2022/5/12 | 木 | | |
| 14 | 2022/5/13 | 金 | | |
| 15 | 2022/5/14 | 土 | | |
| 16 | 2022/5/15 | 日 | | |
| 17 | 2022/5/16 | 月 | | |
| 18 | 2022/5/17 | 火 | | |

| | A | B | C | D |
|---|---|---|---|---|
| 1 | 日付 | 曜日 | 祝日 | 備考 |
| 2 | 2022/5/1 | 日 | | |
| 3 | 2022/5/2 | 月 | | |
| 4 | 2022/5/3 | 火 | 憲法記念日 | |
| 5 | 2022/5/4 | 水 | みどりの日 | |
| 6 | 2022/5/5 | 木 | こどもの日 | |
| 7 | 2022/5/6 | 金 | | |
| 8 | 2022/5/7 | 土 | | |
| 9 | 2022/5/8 | 日 | | |
| 10 | 2022/5/9 | 月 | | |
| 11 | 2022/5/10 | 火 | | |
| 12 | 2022/5/11 | 水 | | |
| 13 | 2022/5/12 | 木 | | |
| 14 | 2022/5/13 | 金 | | |
| 15 | 2022/5/14 | 土 | | |
| 16 | 2022/5/15 | 日 | | |
| 17 | 2022/5/16 | 月 | | |
| 18 | 2022/5/17 | 火 | | |

条件付き書式を設定したカレンダー

　Excelをカレンダーとして、シフトや勤務管理することがよくありますよね。「土曜は青背景、日曜・祝日は赤背景にしたい」、こんなふうに思ったことはありませんか？　Excel初心者は、日曜日の行をドラッグで選択して、

リボンの背景色から赤を選択して塗りつぶす。次の週の日曜日の行を選択して……と、同じ操作を繰り返します。そして祝日も赤背景、土曜日は青背景……とこちらも同じ操作を繰り返します。

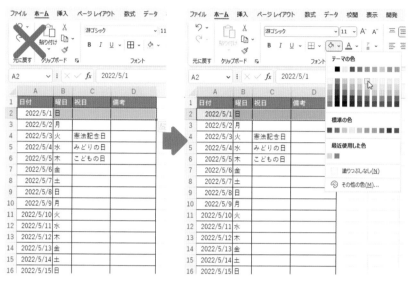

手作業で作る悪い例

　もちろんこれで、目的は達成されます。ですが、ぜひExcelの機能を使って自動的に背景色が変わるようにしましょう。**条件付き書式**を含めて、以下4つの機能を使います。

**1. 条件付き書式**
**2. WEEKDAY関数**
**3. 複合参照**
**4. 比較演算子**

「4つも使うのか。それは面倒だ。それなら1つ1つ色塗るわ」←こう思うかもしれません。ですが、Excelを使う上でその考えはいけません。確かに色を塗るだけなら、1つ1つ塗った方が早いかもしれません。ですがこれ、かなり応用が利きます。この「土曜を青背景、日曜・祝日を赤背景にする」というよくある操作を通じて、Excelの4つの機能を組み合わせて使い、目的の状態にすることができる、この体験が大事なのです。

## 条件付き書式の使い方

　日付や曜日の入った表を用意し、表の中のどこかのセルを選択して、Ctrl＋Aで表を全選択します。［ホーム］タブ→［条件付き書式］をクリックし、［数式を使用して、書式設定するセルを決定］を選択します。

　「次の数式を満たす場合に値を書式設定」の欄に「 =WEEKDAY($A1)=7 」と入力します。

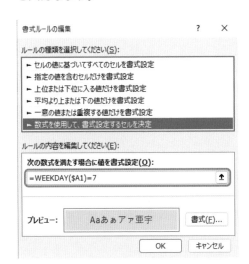

この数式について少し説明します。

複合参照で各行で
式の始まり　A列のセルを参照　土曜日

=WEEKDAY($A1)=7 ➡ ・各行のA列のセルの
・曜日を表す数値が
・7（土曜日）に等しいか

引数の日付に　　等しいか
対応した数値を返す
1：日曜日
2：月曜日
⋮
7：土曜日

　まず先頭の「=（イコール）」は、この先が式であることを意味しています。「この先の条件式がTRUEだったら、設定した書式を適用します」ということです。

　WEEKDAY関数は、引数（ひきすう）のセルの日付の曜日に対応した数値を返す関数です。日曜日なら1、月曜日なら2、……、土曜日なら7という具合です。引数には$A1を指定しています。これは複合参照で、各行のA列のセルを参照します。詳しくはChapter 4-5で説明しています。

　そしてWEEKDAY関数の後にまた「=（イコール）」があります。これは等しいかどうかを判定する比較演算子です。この場合は、右側の7に等しければTRUEとなります。

　最後に、設定したい書式を［書式］ボタンをクリックして設定します。今回は［塗りつぶし］タブを選択して、塗りつぶしたい色（薄い青）を選択して［OK］をクリックします。

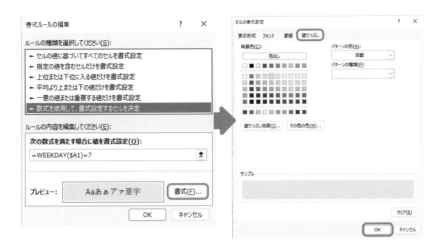

以上で、土曜日の行が青色で自動的に塗りつぶされるようになりました。

| | A | B | C | D |
|---|---|---|---|---|
| 1 | 日付 | 曜日 | 祝日 | 備考 |
| 2 | 2022/5/1 | 日 | | |
| 3 | 2022/5/2 | 月 | | |
| 4 | 2022/5/3 | 火 | 憲法記念日 | |
| 5 | 2022/5/4 | 水 | みどりの日 | |
| 6 | 2022/5/5 | 木 | こどもの日 | |
| 7 | 2022/5/6 | 金 | | |
| 8 | 2022/5/7 | 土 | | |
| 9 | 2022/5/8 | 日 | | |
| 10 | 2022/5/9 | 月 | | |
| 11 | 2022/5/10 | 火 | | |
| 12 | 2022/5/11 | 水 | | |
| 13 | 2022/5/12 | 木 | | |
| 14 | 2022/5/13 | 金 | | |
| 15 | 2022/5/14 | 土 | | |
| 16 | 2022/5/15 | 日 | | |
| 17 | 2022/5/16 | 月 | | |
| 18 | 2022/5/17 | 火 | | |
| 19 | 2022/5/18 | 水 | | |

| | A | B | C | D |
|---|---|---|---|---|
| 1 | 日付 | 曜日 | 祝日 | 備考 |
| 2 | 2022/5/1 | 日 | | |
| 3 | 2022/5/2 | 月 | | |
| 4 | 2022/5/3 | 火 | 憲法記念日 | |
| 5 | 2022/5/4 | 水 | みどりの日 | |
| 6 | 2022/5/5 | 木 | こどもの日 | |
| 7 | 2022/5/6 | 金 | | |
| 8 | 2022/5/7 | 土 | | |
| 9 | 2022/5/8 | 日 | | |
| 10 | 2022/5/9 | 月 | | |
| 11 | 2022/5/10 | 火 | | |
| 12 | 2022/5/11 | 水 | | |
| 13 | 2022/5/12 | 木 | | |
| 14 | 2022/5/13 | 金 | | |
| 15 | 2022/5/14 | 土 | | |
| 16 | 2022/5/15 | 日 | | |
| 17 | 2022/5/16 | 月 | | |
| 18 | 2022/5/17 | 火 | | |
| 19 | 2022/5/18 | 水 | | |

　同じようにして、日曜日用の書式も追加すると、上の右のように、日曜日の行も自動的に赤で塗りつぶされるようになります。
「 =WEEKDAY($A1)=1」の「1」は日曜日を指します。

## 祝日の背景も赤くしたい

　ここまでくると、祝日の背景も赤く塗りつぶしたいですよね。WEEKDAY
関数は祝日かどうかの区別はできないので、別の方法を考える必要があり
ます。

　祝日の場合、祝日欄（C列）に必ず祝日の名前が記入されています。つま
り、C列が空白じゃなければ（=$C 2<>""）という式を入力すればいいですね。
「<>""」で「空白じゃない」→「何か入力してある」と考えましょう。

　この場合、適用先の範囲に注意してください。**Ctrl**＋**A**で表を全選択す
ると、見出し行まで含まれます。見出し行には「祝日」という文字列があ
るので、そのまま条件付き書式を設定すると、見出し行まで背景色が変わ
ってしまいます。なので、適用範囲を選択するときは見出し行が含まれな
いようにしましょう。

# 平均より大きいセルを色分けする

　カレンダーの例では、自分でオリジナルの条件を作って書式設定を行いました。他にも、「平均値より大きい場合」とか「上位10%」とか、よくありそうな条件は既に用意されています。たとえば、次のようなテストの点数の表に対して、平均より点数の高いセルに自動的に色をつけることができます。

　色をつけたいセルの範囲を選択して、［条件付き書式］→［上位/下位ルール］→［平均より上］をクリックするだけです。

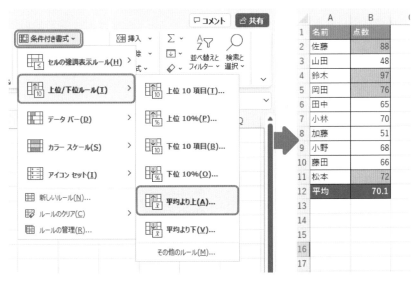

［平均より上］で塗り分けたもの

　この例では、どの数字が平均点以上なのかわかるように一番下に「平均」というセルを表示していますが、シートのどこかに平均値を計算しておく必要はありませんからね。条件付き書式の機能が、自動的に計算してくれています👍

　設定した条件は［ルールの管理］から編集できます。細かく設定できるので、必要に応じて自分なりにアレンジして使ってみてください。

# 「入力規則」を使いこなす

## 表記ゆれの弊害

　複数人でExcelファイルを使っていると、同じ意味でも違った表記がまざっている！　なんて経験あると思います。私の職場でもありました。患者さんのデータの性別欄に「男」「男性」「M」など、いろんな文字列が入っていたのです。人間にはこれらが同じ意味だとわかりますが、Excelにとっては全く別物なのです。

　この後で紹介するフィルター機能や関数などでは、こうした表記ゆれがデータの中にあると、めちゃくちゃ困ることになります。どんなに「絶対に『男』か『女』で入力してくださいね！」とお願いしても、きっといつかおざなりになってしまうでしょう。人間は忘れる生き物ですから……😫

　しかしそんなとき、便利なのが**ドロップダウンリスト**です。

## ドロップダウンリストの作り方

「ドロップダウンリスト」「ドロップダウンメニュー」「プルダウンメニュー」「プルダウンリスト」、言い方はいろいろありますが、これらはすべて同じものです。

　ドロップダウンリストを作成すれば、リストから選択するだけで入力できます。これは「文字入力しなくてすむ」だけではなく、表記ゆれがなくなります。時短かつミスがなくなる、これすごく大事です。まさに効率化。ぜひ作れるようになりましょう。

## 項目を直接入力する場合

　まずドロップダウンリストを配置するセルを選択し、[データ]タブ→[データの入力規則]のアイコンをクリックします。

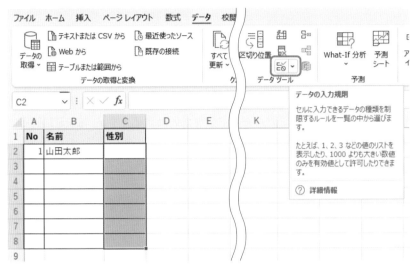

[データの入力規則]のアイコン

　「データの入力規則」ウィンドウが表示されるので、[入力値の種類]から[リスト]を選択します。

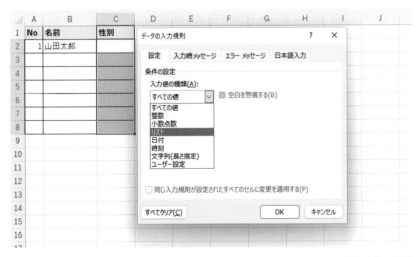

[リスト]の選択

［**元の値**］という入力欄が表示されるので、そこにリストの項目（「男,女」）を入力します。

［OK］をクリックしてウィンドウを閉じると、設定したセルの右側に「▼」ボタンが表示されます。それをクリックすると、先ほど設定した「男,女」のどちらかを選択して入力できるようになります。

| | A | B | C | D |
|---|---|---|---|---|
| 1 | **No** | **名前** | **性別** | |
| 2 | 1 | 山田太郎 | | |
| 3 | | | 男 | |
| 4 | | | 女 | |
| 5 | | | | |
| 6 | | | | |
| 7 | | | | |
| 8 | | | | |
| 9 | | | | |

　ちなみに入力規則を設定したこのセルに、リストにない文字列を入力しようとすると、こうなります。

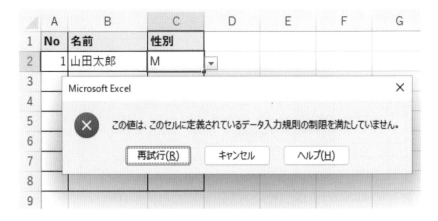

「『M』はダメ！　リストがあるからそこから選んでね。」と、Excelさんが注意してくれます。これなら表記ゆれの心配はいりませんよね。

## すでにあるリストを項目に設定する場合

　先ほどの方法だと、入力する項目に変更があったり追加したりしたい場合、範囲選択をして、同じように設定し直す必要があります。でもそれはちょっと面倒ですよね。

　シート上にリストを作っておき、それを入力規則に設定することもできます。

　まず、項目のリストを作成します。

|  | A | B | C | D | E | F | G |
|---|---|---|---|---|---|---|---|
| 1 | No | 氏名 | 性別 |  |  | 性別リスト |  |
| 2 | 1 | 山田太郎 |  |  |  | 男 |  |
| 3 |  |  |  |  |  | 女 |  |
| 4 |  |  |  |  |  | 未記入 |  |
| 5 |  |  |  |  |  |  |  |
| 6 |  |  |  |  |  |  |  |
| 7 |  |  |  |  |  |  |  |
| 8 |  |  |  |  |  |  |  |
| 9 |  |  |  |  |  |  |  |

そして、先ほどと同じように、入力規則を設定したいセルを選択して［データの入力規則］のアイコンをクリックします。

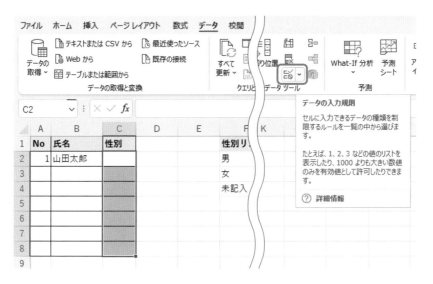

［入力値の種類］から［リスト］を選択すると、［元の値］が表示されるので、入力欄右側のボタンをクリックします。

先ほど作成したリストの範囲を選択し、右端のボタンをクリックします。

[OK]をクリックして「データの入力規則」ウィンドウを閉じると、ドロップダウンリストが設定されています。

性別リストの「未記入」を「非公表」に変更してみましょう。すると、ドロップダウンリストにも反映されています。

> ちなみにこのドロップダウンリスト。「▼」をクリックしなくて、 Alt + ↓ でリストを表示できます。こちらも使ってみてください。

## 無駄を減らして効率化

　入力する値が決まっているものに関しては、こんなふうにして、ドロップダウンリストを使えば手入力の手間もなくなり、表記ゆれを未然に防げます。あと、リストの選択肢が増減する場合、いちいち変更するのは面倒ですよね。もちろん自動で反映させる方法もあります。本書では割愛しますが、Googleで「Excel　リスト　自動」「Excel　リスト　連動」などと調べてみてください。

# Ch 3-5 | 「罫線」を使いこなす

超便利な機能

## 罫線と枠線の違い

Excelには罫線と枠線がありますが、そもそもその違い、わかっていますか？　単語としても似ているし、なんとなく使ってしまっている言葉なのではないかと思います。この2つ、明確に違います。

この薄い縦横の線が枠線、

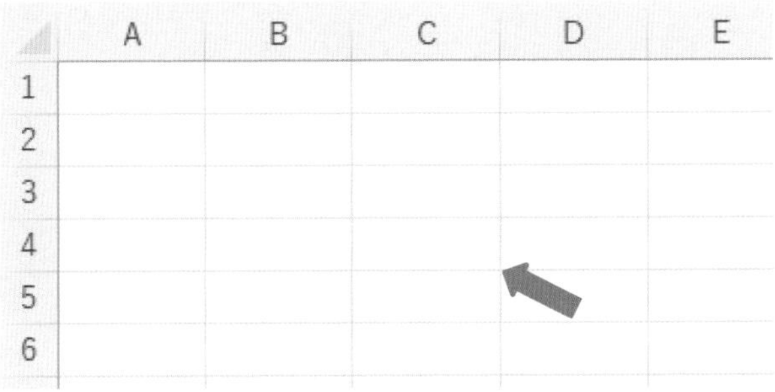

この濃い縦横の線が罫線です。

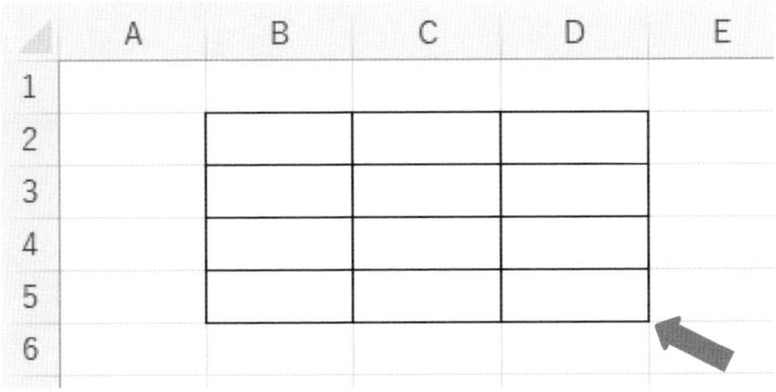

枠線は、セルの区切りを示すための線で、シート内のセルの幅や高さ、位置などを知るのに必要な線です。セルはExcelの基本構造なので、枠線がないと始まりませんね。

それに対して罫線は、セル書式の1つです。塗りつぶしと同じで、セルの値自体は変えませんが、見た目を変えるために存在します。セルって四角「□」ですよね。4つの線それぞれに「色を付けますか？」「太さはどうしますか？」ってのを設定することができるのです。見た目は大事ですからね。

## 罫線を設定する

罫線を引くには、罫線を引きたい範囲をドラッグして選択します。そして［ホーム］タブの［罫線］のアイコンをクリックすると、どのようにして罫線を引くか、リストが表示されます。こんなにたくさん表示されますが、すべて覚える必要はありません。

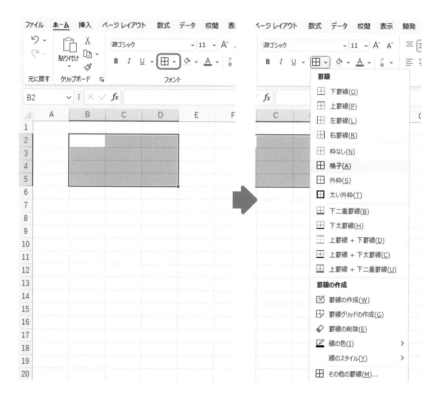

上側の3分の2ぐらいの項目は、選択範囲にどんな罫線を引くかがアイコンで表示されています。なので、リストされているアイコンをその時々に見て選べば十分です。たとえば［格子］や［外枠］を選択すると、こうなります。

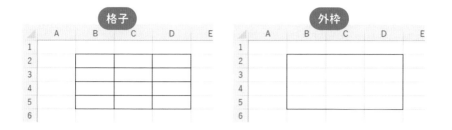

# 「罫線の作成」

　もう１つの罫線の設定方法として、「罫線の作成」から設定するものがあります。

　先ほどと同様に、[罫線] のアイコンをクリックし、[罫線の作成] をクリックすると、マウスカーソルがペンのアイコンに変わります。その状態で、外枠を引きたい範囲をドラッグすると、実際に罫線を確認しながら範囲を設定できます。

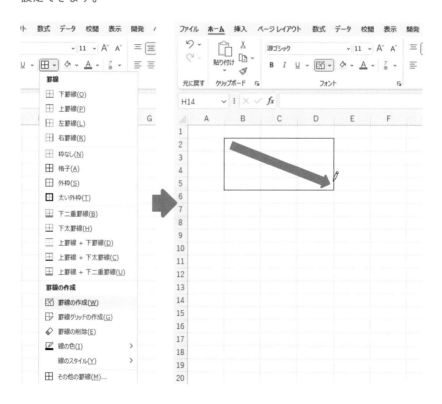

ちなみに、［罫線グリッドの作成］を使えば、同じようにして「格子」の罫線が引けます。

## 罫線はほどほどに！

　データを表にまとめると、罫線を引きたくなりますよね。かっちりと縦横に引きたくなってしまう気持ちはよくわかります😓　でも、かっちりと引きすぎてしまうがゆえに、見た目が悪くなってしまうこともあります。

　たとえば、表の縦の罫線を引かず、横罫線にするだけでもスッキリと見やすくなります。横罫線だけを引くには、まず罫線を引きたい表を選択して、右クリックして**セルの書式設定ダイアログ**を開きます。［罫線］タブを開き、引きたい罫線の位置（ここでは真ん中と上下の横線）をクリックします。四角形内の十字部分の罫線を選択すると、表の内側すべての罫線に適用されます。線種を変えるには、左の［スタイル］で線種を選択してから罫線の位置をクリックします。

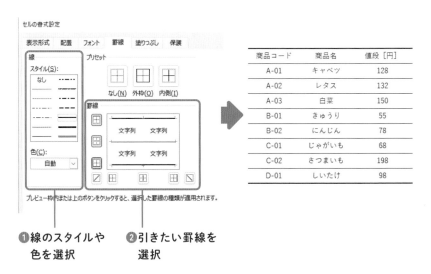

**❶線のスタイルや色を選択**　　**❷引きたい罫線を選択**

　表はちょっとした工夫で見やすさが変わってきます。上の右の図では、セルの余白を広げてデータがより見やすくなるように配慮しています。このように、ちょっとしたことで印象が変わるものです。どのようにすれば見やすくなるのか、考えながら作成してみてください。

# Ch 3-6

超便利な機能

# 「フィルター」を使いこなす

> 「20代」「男性」のデータをまとめたいとき、
>
> Excel初心者　　えーっと、このデータは「20代」「男性」だから表の上
> に持っていって……。
>
> Excelできる人　　フィルターを使って一瞬！

　たくさんのデータの中から見たいデータだけを表示したいときってありますよね。でも、頑張って手作業で抜き出すなんてことしちゃダメですよ。「フィルター」を使えば一瞬でできます。

## 表に移動して Ctrl + Shift + L

　表の1行目はデータの項目名を示すヘッダー行にしてください。表に含まれるセルを選択して、[データ] タブの [フィルター] をクリックすると、フィルターが作成されます。ショートカットキーは Ctrl + Shift + L です。ショートカットキーが断然おすすめです！　ちなみに、表のセルを全選択する必要はありませんよ。表の範囲をExcelさんが判断してくれます。

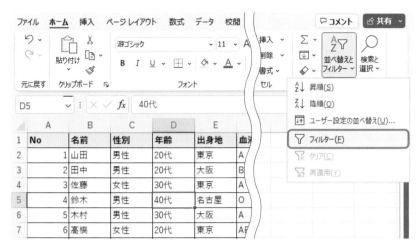

［フィルター］のアイコン

　フィルターが作成されると、項目の右にボタンが表示されます。準備はこれだけです。

項目のボタンが表示

　あとは、項目のボタンをクリックして、条件を選択します。試しに「血液型」がBまたはOで、「出身地」が名古屋の人だけを表示してみましょう。まず「血液型」の ▼ をクリックして、AとABのチェックを外します。

112

　この時点で「血液型」がAとABの人は表示されなくなります。次に「出身地」の ▼ をクリックして、大阪のチェックを外します。

　これで完了です。フィルターをかけている項目だけ、ボタンの表示が ▼ に変わります。

| | A | B | C | D | E | F | G |
|---|---|---|---|---|---|---|---|
| 1 | No ▾ | 名前 ▾ | 性別 ▾ | 年齢 ▾ | 出身地 ▾ | 血液型 ▾ | |
| 5 | 4 | 鈴木 | 男性 | 40代 | 名古屋 | O | |
| 8 | 7 | 山本 | 女性 | 40代 | 名古屋 | B | |
| 9 | | | | | | | |

▾ に変わった表示

　ここで注目してほしいのは、シートの行番号が「1」「5」「8」と飛び飛び
になっていることです。要するに、フィルターの条件に合わないデータを
非表示にしているだけなんですね。見えなくなっているだけなので、これ
に対してSUMIF関数を使って男性の数だけを数えようとしても、元のデー
タに対して使用したのと同じ結果になってしまいます。フィルターしたデー
タを使いたい場合は、フィルターした表を別の場所にコピー＆ペースト
してから使用してください。

　ちなみに、現在選択しているセルの値でフィルターをかけたいときは、
このショートカットを知っていると便利です。こんな感じです。

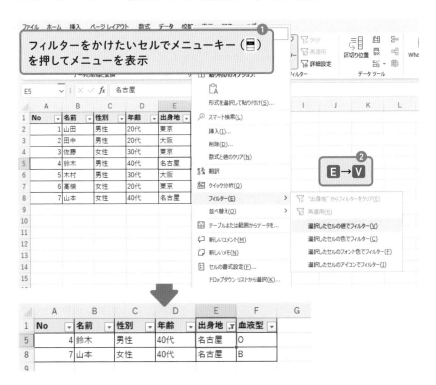

114

「え、メニューキー？　使わんし！」←まあそうですよね。右クリックで表示されるメニューから選択していけばいいのですが、これをマウス操作で行うのは面倒です。使い慣れるととても便利なショートカットキーなので、これを機にメニューキーからのショートカットもぜひ覚えておきましょう。メニューキー（▤）はキーボードの下の方に配置されていることが多いですが、キーボードにない場合は Shift + F10 でも代用できます。

## かけたフィルター、外せる？

ところでフィルターの解除、どうしていますか？　フィルターの解除は、[データ] タブの [クリア] をクリック、または Alt → A → C （All Clear で覚えましょう）でやりましょう。

［クリア］の場所　　ここ！

え？　まさかフィルターのボタンを1つ1つクリックして、「すべて選択」を✓、なんてしていませんよね？　……私はしていました😭

| | A | B | C | D | E | F |
|---|---|---|---|---|---|---|
| 1 | No | 名前 | 性別 | 年齢 | 出身地 | 血液型 |
| 2 | 1 | 山田 | 男性 | 20代 | 東京 | A |
| 5 | 4 | 鈴木 | 男性 | 40代 | 名古屋 | O |
| 9 | | | | | | |
| 10 | | | | | | |
| 11 | | | | | | |
| 12 | | | | | | |
| 13 | | | | | | |
| 14 | | | | | | |

| | A | B | C | D | E | F |
|---|---|---|---|---|---|---|
| 1 | No | 名前 | 性別 | 年齢 | 出身地 | 血液型 |
| 2 | 1 | 山田 | 男性 | 20代 | 東京 | A |
| 3 | 2 | 田中 | 男性 | 20代 | 大阪 | B |
| 4 | 3 | 佐藤 | 女性 | 30代 | 東京 | A |
| 5 | 4 | 鈴木 | 男性 | 40代 | 名古屋 | O |
| 6 | 5 | 木村 | 男性 | 30代 | 大阪 | A |
| 7 | 6 | 髙橋 | 女性 | 20代 | 東京 | AB |
| 8 | 7 | 山本 | 女性 | 40代 | 名古屋 | B |
| 9 | | | | | | |

多くのExcelの書籍では、フィルターのかけ方は解説してくれていますが、フィルター機能自体が結構直感的に使えるので、つまずくこともそんなにありません。でもクリアの仕方までは説明してくれていないことが多いのです。初心者はこういうところで意外とつまずいてしまいます。

# 「オートフィル」を
# 使いこなす

曜日の月〜日までを入力したいとき、

**Excel初心者** 「月」「火」「水」「木」「金」「土」「日」を打ち込んで、残りはコピペで時短ですよね（ドヤ）。

**Excelできる人** 「月」だけ入力して、残りはオートフィルで一発！

　カレンダーや日程表のように、日付や曜日のような連続的なデータってありますよね。でも、データを1つずつ入力していたら日が暮れてしまいます。Excel初心者だったかつての私も、1つずつ手入力していたことがありました😱

## コピーと連番

　そういうデータの入力は、セルの右下の■（「**フィルハンドル**」といいます）をドラッグして入力する**オートフィル**を使います（横のセルに入力されているときは、ダブルクリックでもOK）。「オートフィルぐらい知ってるよ」←そんな声が聞こえてきそうですが、実際のところは結構なんとなくで使っている人も多いんじゃないでしょうか。ここで一旦整理してみましょう。

　連番を入力しようとして、こんなふうになったことはありませんか？
「セルに『1』と入力して、フィルハンドルをドラッグして連番を……。って、あれ？　全部1になってしまった👻」

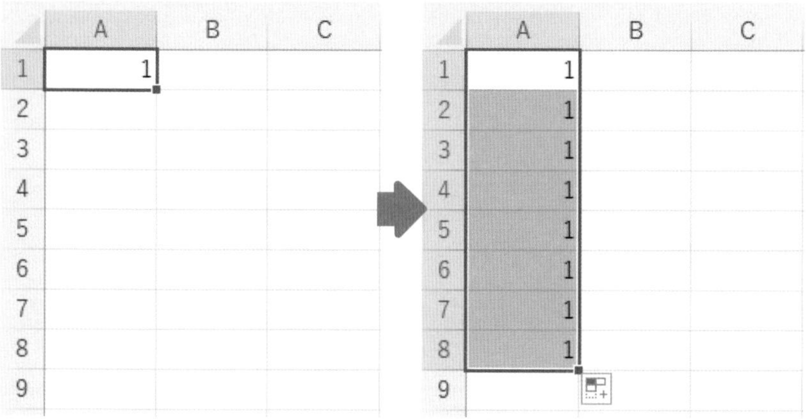

全部1になってしまった

　そうなんです。オートフィルでは、連番になる場合と、単にコピーされるだけの場合があります。これを防ぐためにどうしますか？　多分こうですよね。

「『1』の下に『2』も入力して、2つ選択してフィルハンドルをドラッグすれば……。あ、よかった、連番になった！」。

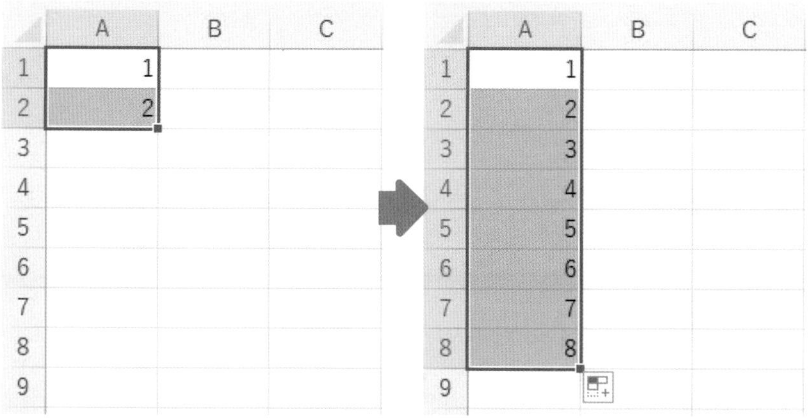

連番になった

　確かにこれで正解ですが、この「2」を入れるのって面倒じゃないですか？　なぜこうなるのかをもう少し深掘りしてみましょう。セルに「1番」と入力して同じようにオートフィルを行うと、連番になりますね。

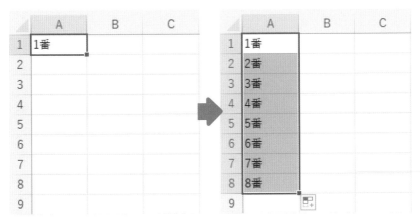

「数値＋文字」の場合

「1」や「A」などの「数値のみ」「文字のみ」の場合はコピーになります。そして、「数値＋文字」の場合は連番になります。そして「1」と「2」の2つが連続で入っている場合は、Excelさんが気を利かせて連続データを作ってくれていたわけですね。

　ちなみに、連番を作る方法にはあと2通りあります。1つ目がオプションから「連続データ」を選択して作成する方法です。最初の方法と同じように、「1」と入力して、オートフィルでコピーします。フィルハンドルの右下に表示されるオプションのアイコンをクリックし［連続データ］を選択します。

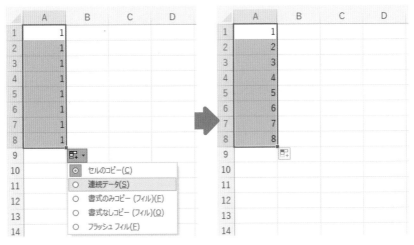

［連続データ］の選択

もう1つは「連続データの作成」から作成する方法です。

［ホーム］タブの［フィル］のアイコンをクリックし、［連続データの作成］を選択します。「連続データ」ウィンドウで「範囲」の［列］、「種類」の［加算］、［停止値］を「8」に設定して［OK］をクリックすると、先ほどと同じ連続データが作成されます。

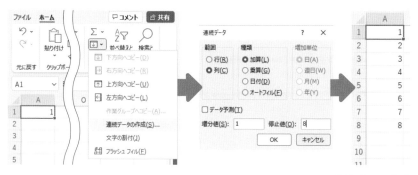

連続データの作成

## 挙動を入れ替える Ctrl

よくExcelの本で「1だけ入力してオートフィルで連番にしたいときは、Ctrl を押しながらドラッグ！」って書いてあります。実は Ctrl、オートフィルでコピーにするか連番にするかという挙動を入れ替えるキーなんです。要は、こういうことです。

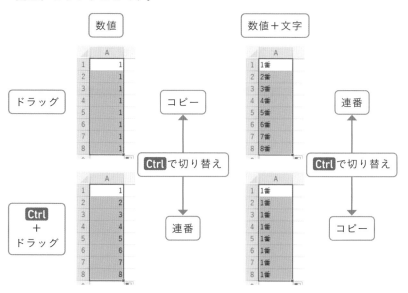

つまり、コピーになるか連番になるかという条件さえおさえて、あとは状況に応じて Ctrl を押すかどうか判断すればいいのです。「数値のみ」はコピー、「数値＋文字」は連番、Ctrl で切り替えです。

## オートフィルの正体

Twitterでこんなツイートをしました。

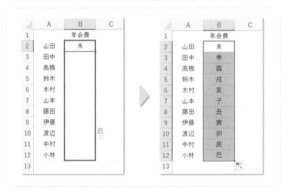

Excel医@デザイン勉強中『Excel最速仕事術』著者
@Excel_design_Dr

Excelさんよ、そこに干支が来るわけないやろ！

午後10:11 · 2022年6月3日

238 件のリツイート　30 件の引用ツイート　932 件のいいね

これは文字列ですが、連番としてオートフィルが機能しました。「え？さっきと言ってることが違うじゃないか！」←まあまあ、落ち着いてください🖐　これを理解するには、**オートフィルの正体**を知る必要があります。

［ファイル］タブ→［オプション］をクリックし、「**Excelのオプション**」ウィンドウを開きます。

Excelのオプション

[詳細設定] をクリックし、「全般」にある [**ユーザー設定リストの編集**]
をクリックして「**ユーザー設定リスト**」ウィンドウを開きます。

ユーザー設定リスト

　これが**オートフィル**の正体です。単体で何が連番になるかは、ここに入
っているかどうかで決まります。先ほどの「未」もここに入っているので、
干支が連番で出てきてしまったわけなんですね。月や曜日なんかもここに
入っています。

「**ユーザー設定リスト**」の使い所としては、たとえばこんな経験ありませんか？

「アルファベットの連番を作りたいから、セルにAとBを打ち込んで、オー
トフィルっと……って、あれ？」

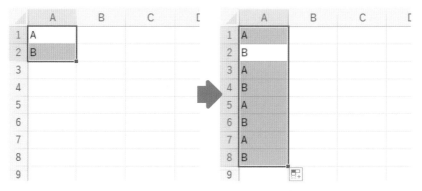

別の動きをするアルファベット

「1、2のときは3、4、5……ってなるのに、A、BのときはC、D、E……ってならないんかい！」←そうなんです。アルファベットはまた別なんですよね。「あ、い」も「あいあいあ……」ってなりますからね。アルファベット順、あいうえお順をよく入力する人は、ユーザー設定リストに設定しておきましょう。

## 書式を崩さないでオートフィルしたい

オートフィルを使って、1行おきに背景色をつけた状態でさらにオートフィルを使い、すべての背景色が同じになってしまった、なんてことはありませんか？

すべての背景色が同じになった

そんなときは、オートフィルを実行した直後に右下に出てくるオプションのアイコンをクリックします。すると、コピーの仕方が選択できるようになります。

　ここで、[書式なしコピー（フィル）]を選択してください。すると、先ほど1色に塗りつぶされてしまった背景が、下のボーダー状になりました。

| | A | B | C | D |
|---|---|---|---|---|
| 1 | 1月 | | | |
| 2 | 2月 | | | |
| 3 | 3月 | | | |
| 4 | 4月 | | | |
| 5 | 5月 | | | |
| 6 | 6月 | | | |
| 7 | 7月 | | | |
| 8 | 8月 | | | |
| 9 | 9月 | | | |
| 10 | 10月 | | | |
| 11 | 11月 | | | |
| 12 | 12月 | | | |
| 13 | | | | |

○　セルのコピー(C)
○　連続データ(S)
○　書式のみコピー (フィル)(F)
◉　書式なしコピー (フィル)(O)
○　連続データ (月単位)(M)
○　フラッシュ フィル(F)

[書式なしコピー（フィル）]

　オートフィルはコピーの一種なので、普通にオートフィルを実行すると書式までコピーしてしまうのです。

　こうやって、ちゃんとどこまでコピーできるか選択できるところにExcelの気遣いを感じますね。

# 「表示」を使いこなす

「表示」は大事です。←「表示形式」ではありませんよ。

1行目の見出しが常に表示されるようにする（ウィンドウ枠の固定）、ブック内のシートを並べて表示する（新しいウィンドウを開く）など、効率的なExcel作業に欠かせない操作が［表示］タブの中にはたくさんあります。

Excel初心者は、「並べて表示して見比べる」なんてことができるのを知らないので、マウス操作でブックやシートを行ったり来たりします。でも、それでは効率悪すぎです。字面だけ見てもピンとこないと思います。実際にこれから紹介する操作を一緒にやってみてください。

## ウィンドウ枠の固定

大きい表を扱うとき、シートの右や下へスクロールすると、シートの先頭に入力していた見出しが表示されなくなります。

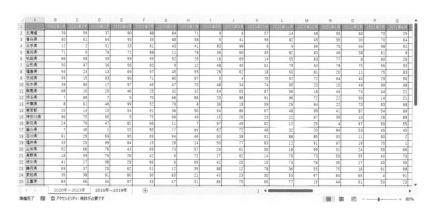

↑こんな感じの、1画面に収まらない大きな表があるとします。

下にスクロールすると、先頭行の見出しが見えなくなります。

下にスクロールすると、先頭行の見出しが見えなくなる

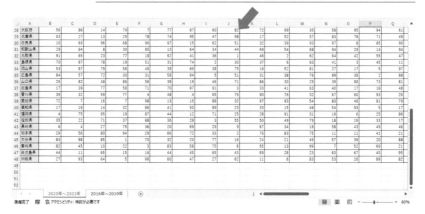

右にスクロールすると、先頭列の見出しが見えなくなります。

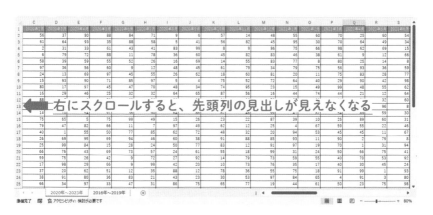

右にも下にもスクロールすると、先頭行、先頭列のどちらの見出しも見えなくなります。

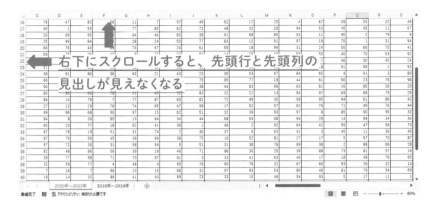

「山田太郎」「男」「東京都」「りんご」というような、文字列のデータなら見出しがなくてもある程度見分けが付きそうです。しかし、今見たような数値ばかりのデータだと、どれが何の数字かわからないですよね。こういうデータの場合、どれだけスクロールしても見出しは常に表示しておきたいものです。そんなときに使うのが**ウィンドウ枠の固定**です。

　スクロールしても、A列と1行目は常に表示されるように「ウィンドウ枠の固定」をしましょう。

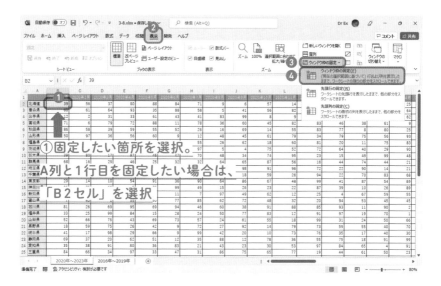

**①固定したい箇所を選択。**
**A列と1行目を固定したい場合は、**
**「B2セル」を選択**

① 固定したい箇所を選択（図の場合はB2セル※）

② ［表示］タブをクリック

③ ［ウィンドウ枠の固定］をクリック

④ ［ウィンドウ枠の固定(F)］をクリック

※A1セルではなく、B2セルを
選択します。固定する部位の
右かつ下のセルです。最初は
戸惑いますが、すぐ慣れます。

| | A | G | H | I | J | K | L |
|---|---|---|---|---|---|---|---|
| 1 | | 2020年6月 | 2020年7月 | 2020年8月 | 2020年9月 | 2020年10月 | 2020年11月 |
| 20 | ○○県 | 73 | 57 | 24 | 61 | 55 | 1 |
| 21 | 長野県 | **A列と1行目が動かない。ウィンドウ枠が固定された** | | | | | 7 |
| 22 | 岐阜県 | 9 | 99 | 42 | 20 | 10 | 7 |
| 23 | 静岡県 | 12 | 35 | 88 | 12 | 78 | 3 |
| 24 | 愛知県 | 83 | 21 | 43 | 23 | 30 | 5 |
| 25 | 三重県 | 47 | 31 | 86 | 75 | 65 | 7 |
| 26 | 滋賀県 | 24 | 2 | 8 | 38 | 44 | 8 |
| 27 | 京都府 | 21 | 45 | 72 | 83 | 32 | 2 |
| 28 | 大阪府 | 77 | 87 | 60 | 82 | 72 | 9 |
| 29 | 兵庫県 | 74 | 95 | 47 | 98 | 17 | 5 |

　ウィンドウ枠が固定され、画面をスクロールしてもA列と1行目は常に表示されています。

　ショートカットキーは、**Alt** → **W** → **F** → **F** です。

**Window(W)のFrame(F)をFix(F)と覚えましょう。**

# シート内の離れたデータを同時に見る

　大きい表を扱っていると、離れた場所にあるデータ同士を見比べるのが大変ですよね。たとえば先ほど見た表の場合、2020年6月のデータと2023年6月のデータを見比べるのに、行ったり来たりしていたらいくら時間があっても足りません。そんなときに使えるのがシートを分割して表示する**分割ビュー**です。2つに分割するにはこうやります。

❶ 分割したい列（または行）を選択
❷ ［表示］タブの［分割］をクリック

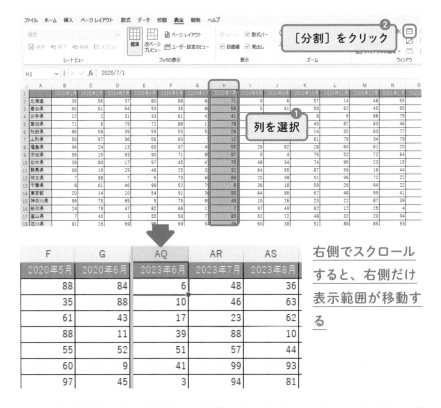

右側でスクロールすると、右側だけ表示範囲が移動する

　シートを分割すると分割位置の枠線が太くなりますが、これをドラッグすると表示範囲を調整できます。
　また、行や列だけでなく、セルを選択するとその位置でシートを4分割することもできます。状況に合わせて使い分けてみてください。

# 2つのシートを並べて表示

　別シートにあるデータを見ながら入力したいときってありますよね。そんなとき、表示するシートを切り替えて行ったり来たりするのは非効率です。シートを横に並べて表示する方法があります。

　［表示］タブ→［新しいウィンドウを開く］をクリックすると、新しいウィンドウで同じブックが開きます。

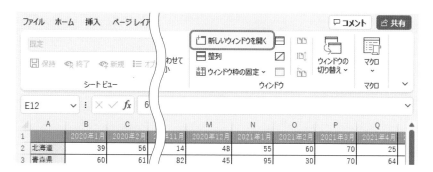

　表示したいシートを選択して表示します。ちなみに、元のウィンドウには「1」、新しく開かれたウィンドウには「2」という番号が表示されます。

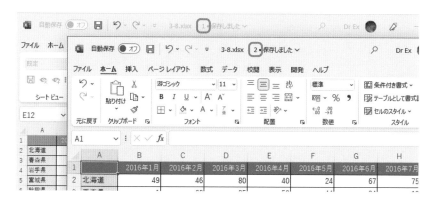

あとは、作業しやすいようにウィンドウを左右に並べましょう。

[表示] タブ→ [整列] → [左右に並べて表示する] とすると、左右きれいに並べてくれます。

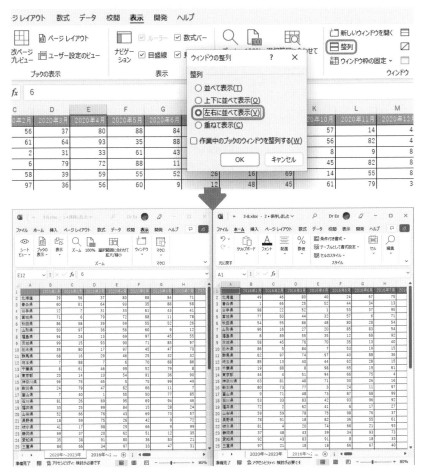

左右に並べられたもの

# Chapter 4

# 関数

# Excelで
# 計算してみよう

ExcelといえばSUMやIFなどのExcel関数を思い浮かべる人が多いですが、関数は数式に含まれます。関数を勉強する前に、数式の基本について徹底的に理解することをおすすめします。

| | A | B | C |
|---|---|---|---|
| 1 | 1 | | |
| 2 | 2 | | |
| 3 | = | | |
| 4 | | | |
| 5 | | | |

「=」から入力を開始

A1セルに「1」、A2セルに「2」と入力されており、その2つの値を使ってA3セルに計算結果を表示させたいとします。

数式入力において、「=」（半角イコール）から入力を開始するという、鉄のルールがあります。

足し算の結果を表示するときは、マウスやカーソルでセル選択をし、「=A1+A2」と入力して Enter を押すと、「3」と表示されます。

| | A | B | C |
|---|---|---|---|
| 1 | 1 | | |
| 2 | 2 | | |
| 3 | =A1+A2 | | |
| 4 | | | |
| 5 | | | |

| | A | B | C |
|---|---|---|---|
| 1 | 1 | | |
| 2 | 2 | | |
| 3 | 3 | | |
| 4 | | | |
| 5 | | | |

=A1+A2

このときの「+」は、演算子の中の**加算**を意味する**算術演算子**です。

# 算術演算子

| 操作 | 演算子 | 数式 | 結果 |
|---|---|---|---|
| 加算（足し算） | + | =A1+A2 | 3 |
| 減算（引き算） | - | =A1-A2 | -1 |
| 乗算（かけ算） | * | =A1*A2 | 2 |
| 除算（割り算） | / | =A1/A2 | 0.5 |
| 累乗（べき乗） | ^ | =A1^A2 | 1 |

# 数式を見てみよう

さて、この超簡単な計算。少し深掘りします。以下の4つの数式は、すべて同じ結果を表します。

1. =A1+A2　　　　セル参照
2. =1+2　　　　　定数
3. =SUM(A1:A2)　セル範囲「:」
4. =SUM(A1,A2)　引数を区切る「,」

## セルを参照する（セル参照）

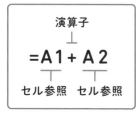

構成されている要素を見ると、参照したセル（セル参照）同士を、「+」という算術演算子でつないでいます。しかも、Excelシート上では、どのセルを参照しているか色分けしてくれており、視覚的にもわかりやすくしてくれています。こういうExcelの親切機能は本当に神がかっています。

A3セルには「1+2」の「3」が表示されます。A1セルを「2」に変えると、A3セルは「4」と表示されます。これがセル参照です。

A1を「2」に変えると
A3の計算結果が自動で変わる

## 定数を入力する

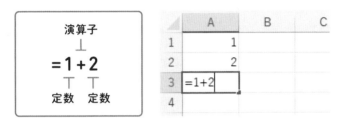

　今度はセルを参照せず、定数を直接数式の中に入力しています。もちろん、これでも求めたい「3」という結果が表示されます。まさかA1セルとA2セルの数値を見て、このように入力する人はいませんよね。これだとA1セルを2に変えても、A3セルは「=1+2」のままなので、先ほどのように自動で変わることはありません。定数は、あくまでも定まった値ですから。

## 関数を入力する

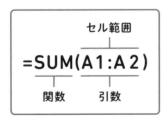

　今度はSUM関数を使っています。関数は、指定した値（引数といいます）から、あらかじめ決まっている計算方法で計算結果を返してくれます。
　関数の後は「()（カッコ）」の中に引数を指定する必要があります。例外的に引数を指定しない関数もあります（TODAY, NOW, COLUMN, ROWなど）。

## セル範囲を表す「:（コロン）」

|   | A | B | C |
|---|---|---|---|
| 1 | 1 |   |   |
| 2 | 2 |   |   |
| 3 | =SUM(A1:A2) |   |   |
| 4 |   |   |   |

　SUM関数は、指定したセル参照または範囲から、その合計を計算します。「A1:A2」は、A1〜A2という範囲を指定しています。「:（コロン）」は範囲を表す記号です。Excelシート上では「A1:A2」と、丁寧に青で範囲を示してくれています。

## 引数を区切る「,（カンマ）」

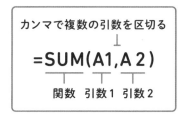

|   | A | B | C |
|---|---|---|---|
| 1 | 1 |   |   |
| 2 | 2 |   |   |
| 3 | =SUM(A1,A2) |   |   |
| 4 |   |   |   |

　先ほどはセル範囲を指定しましたが、セルを1つ1つ選択して入力することもできます。今度は「,（カンマ）」でセルを区切っています。よく見ると、A1が青、A2が赤になっています。これは、複数の引数を指定しているということです。

## 関数の理解を深める

### 「引数」「返す」とは

　「引数？　返す？　どういうこと？」←わかります、その気持ち。私も初めはよくわかっていませんでした。こちらの概念図をご覧ください。

関数の概念図

引数を関数に入れると計算結果を返す

　関数は工場で製品を作る機械のようなものです。そして、引数は機械に投入する材料です。材料を機械に渡すと、材料を元に作り上げて製品として返してくれます。つまり、それが計算結果です。

　たとえば次のように、引数に「A1:A2」と指定したら、A1からA2のセル範囲を材料として製品を作ってくれってことです。この場合は、SUMなので、材料の合計ですね。

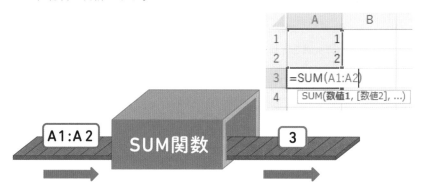

## 入力のサポート機能

「=SUM(」まで入力すると、ポップアップで「数値1」が太字になっています。これは、「引数」として数値を入力してね、ってことです。

[数値2]は[]になっており、これは必須ではないということです。「:（コロン）」を使ってセル範囲を指定すると、これで1つの引数として扱われます。

| | A | B | C |
|---|---|---|---|
| 1 | 1 | | |
| 2 | 2 | | |
| 3 | =SUM(A1:A2) | | |
| 4 | SUM(**数値1**, [数値2], ...) | | |
| 5 | | | |

「,（カンマ）」で区切った場合、[数値2]にA2セルが選択されています。文字と枠線と色に注目してください。

| | A | B | C |
|---|---|---|---|
| 1 | 1 | | |
| 2 | 2 | | |
| 3 | =SUM(A1,A2) | | |
| 4 | SUM(数値1, **[数値2]**, [数値3], ...) | | |
| 5 | | | |

Excelでは、このように関数の入力をサポートしてくれる機能があります。大いに利用しましょう。

# 数式と関数の違い

そもそも「数式」と「関数」の違い、ちゃんと理解していますか？ ごっちゃになっていませんか？ 「数式」と「関数」は別物ではありませんよ。「数式」の一部に「関数」があるのです。Excel初心者は、そのあたりがあやふやです。私がそうでした😰

「関数」とは、**Excel関数**のこと。Excelの超便利な機能の1つです。**SUM関数**とか**IF関数**、**VLOOKUP関数**などのことです。引数としてデータを渡すと、箱の中で行ってほしい処理を実行し、欲しかった計算結果を返してくれるイメージです。

その一方で、「数式」は「=」から始まり、セル参照や関数を使って組み立てる計算式のことです。数式は、**セル参照や関数、数値や文字列**などのデータを、演算記号を使って組み立てます。

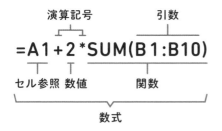

Excelで使える演算の記号は、「四則演算」「不等号」「文字列結合」です。ある程度想像はつくと思いますが、簡単に見ていきましょう。

## 四則演算

いわゆる**足し算、引き算、かけ算、割り算**です。学校で習う記号は「＋」「－」「×」「÷」だと思いますが、Excelでは「×」が「＊（アスタリスク）」、「÷」が「／（スラッシュ）」です。

# 不等号

数学で不等号といえば、「<」「>」「≦」「≧」「≠」ですね。Excelでは、「≦」は「<=」、「≧」は「>=」、「≠（ノットイコール）」は「<>」になります。

ノットイコールは「等しくない」「同じではない」ってことですね。よく使うのが「=A1<>""」のような形で、「A1が空白ではない」、つまり何かしら値が入力されているという意味です。IF関数や条件付き書式などでとても役に立ちます。

四則演算と不等号、まとめるとこんな感じです。

| 数学での演算記号 | Excelでの演算記号 |
|:---:|:---:|
| ＋ | ＋ |
| － | - |
| × | * |
| ÷ | ／ |
| | |

| 数学での演算記号 | Excelでの演算記号 |
|:---:|:---:|
| ≠ | <> |
| > | > |
| < | < |
| ≧ | >= |
| ≦ | <= |

# 文字列結合

文字列を結合するときは、「＋」ではなく「&（アンド）」を使います。また、数式内で文字列を扱う場合は、「" "（ダブルクオーテーション）」で囲みます。こんな感じで、スペースも1文字として扱います。

| C1 | | : | × ✓ $f_x$ | =A1&"　"&B1 |
|---|---|---|---|---|

| | A | B | C | D |
|---|---|---|---|---|
| 1 | 山田 | 太郎 | 山田　太郎 | |

文字列の結合は、いくつもつなげていくとタイプミスしがちです。ですが、実は文字列の結合は、関数を使ってもできます。いくつか例を載せておきます。気になるものがあったらぜひ調べてみてください。

| | A | B | C |
|---|---|---|---|
| 1 | 元のデータ | 表示 | 式 |
| 2 | Excelを | Excelをゼロから始めて使いこなす！ | =A2&A3&A4&A5 |
| 3 | ゼロから | Excelをゼロから始めて使いこなす！ | =CONCATENATE(A2,A3,A4,A5) |
| 4 | 始めて | Excelをゼロから始めて使いこなす！ | =CONCAT(A2:A5) |
| 5 | 使いこなす！ | Excelを/ゼロから/始めて/使いこなす！ | =TEXTJOIN("/",TRUE,A2:A5) |

# Ch 4-3

関数

# 関数の構造

Excelのどんな関数も、決まったパーツで作られています。「=（イコール）」「( )（カッコ）」「関数名」「引数（ひきすう）」「カンマ」「戻り値」などです。関数の使い方はChapter4-1で簡単に紹介しました。ここでは、関数がどんなパーツで作られていて、どんな構造になっているのかを紹介します。まず、下の図をみてください。

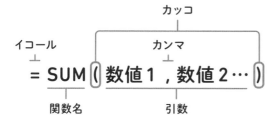

最初に述べたパーツはこんな感じで配置されています。この例ではSUM関数を使っていますが、Excelの関数はすべてこの形をしています。

まず一番大事なことですが、関数は数式の中で使います（Chapter4-2参照）。なので、数式を入力するときと同様に、必ず「=」から入力します。続いて関数名を入力します。その後は「(」です。この「=関数名(」まで必ず入力が必要です。

引数には、セル参照やデータなどを入力します。関数によっては省略可能です。引数が複数ある場合は、「,（カンマ）」で区切ります。最後に「)」を入力して、関数が完成です。

「いんすう」ではありませんよ。「ひきすう」ですよ。普通に生活をしていたら、使ったこともないですよね。冒頭でも述べましたが、Excelを学ぶということは、知らない言葉を知るということなんです。

# Tab で入力補完

　先ほど、引数の後に「）」を入力して完成と書きました。それでもいいのですが、「）」を入力するのって Shift ＋ 9 の2つを押さないといけないのでちょっと手間ですよね。実は、引数を最後まで入力して Tab を押せば、最後の「）」が自動で入力されて、右のセルに移動します。

「たった1つ使うキーが減るだけか。そこまでする必要ある？」←違うんです。実は、Tab は補完機能を持った特別なキーなんです。たとえば「=SUM」とセルに入力してみてください。

補完機能と補完して入力されたもの

　こんなふうにいろんな関数の候補が出てきますよね。この候補の中に使いたい関数があったら、矢印キーで選択して Tab を押せば、補完して「（」まで入力してくれるんです。Enter ではダメですよ。セルの入力が終わってしまいますから✋

# よく使う関数を覚えよう

　関数は全部で400個以上もありますが、実際に使うのはそのうちの20〜40個くらいです。5〜10％くらい使えれば十分です。もちろん使う人や業種によって、その内訳は異なります。ここでは私が厳選したExcel関数を紹介します。

# Ch 4-4

関数

# 関数の調べ方

おすすめは**Microsoft Office公式サポートHP**（https://support.microsoft.com/ja-jp/excel）です。Microsoftが直々に解説してくれているんですよ。間違いないです。しかも動画付きのもあります。

サポートサイト

このページから、試しに［数式と関数］→［関数］タブ→［SUM関数］と開いてみましょう。SUM関数の説明が書いてあります。機械翻訳なので多少日本語が怪しい場所がありますが、大まかにはわかるはずです👍

## SUM 関数

*Excel for Microsoft 365, Excel for Microsoft 365 for Mac, Excel for the web, その他...*

**SUM 関数は**値を追加します。 個々の値、セル参照、セル範囲、またはこれらすべての組み合わせを加算できます。

次に例を示します。

- **=SUM(A2:A10)** セル A2:10 に値を追加します。

- **=SUM(A2:A10, C2:C10)** セル A2:10 とセル C2:C10 の値を加算します。

SUM関数の説明ページ

さらに下の方を見ると、「構文」という項目があります。これが関数の詳しい説明です。

**SUM(数値 1, [数値 2], ...)**

| 引数名 | 説明 |
|---|---|
| **数値 1**<br>必須 | 加算する最初の数。ここには 4 のような数値、B6 のようなセル参照、B2:B8 のようなセル範囲を指定できます。 |
| **number2-255**<br>省略可能 | これは、加算する 2 番目の数値です。この方法で最大 255 個の数値を指定することができます。 |

「[ ] (角かっこ)」のついた引数は、省略可能という意味です。入力してもしなくても、処理が実行されます。入力しなくても動くということは、初期値が用意されている、という意味です。省略した場合、どんな初期値になっているかはぜひ確認しておいてください。もちろん、中には引数を入力しない(できない)関数もあります。NOW、TODAYとかです。そういう場合は「引数はありません」と書いてあります。

構文の下には「SUMでの**ベストプラクティス**」という項目があります。どういうときにこの関数を使うのがいいのか、どのような利点があるのかということが、具体例を交えて説明されています。関数の考え方も理解できるので、ぜひ読んでみてください。

**SUM でのベスト プラクティス**

このセクションでは、SUM 関数を使用するためのいくつかのベスト プラクティスについて説明します。この説明の多くは、他の関数を使用する際にも当てはまります。

**=1+2 または =A+B メソッド – =1+2+3 または =A1+B1+C2 を入力して完全に正確な結果を得られますが、これらのメソッドは次の複数の理由によりエラーが発生しやすくなります。**

1. **入力ミス** – さらに多くの値や、次のようなとても大きな値を入力する場合を想像してみてください。

   - =14598.93+65437.90+78496.23

   そして入力内容が正しいことを検証することも想像してみましょう。これらの値を個別のセルに配置し、SUM 数式を使用する方がずっと簡単です。また、値がセルにあれば、書式設定して、数式内の値をより見やすくすることができます。

関数によっては「よくある問題」「例」など、実例を使った解説がある場合もあって、理解するのにとても役立ちます。関数を調べる際は、ぜひ公式HPもチェックしてみてくださいね。

# 絶対参照と相対参照

Excelの本は数多くありますが、どの本でも必ず「参照が大事」と言われています。そもそも「参照」とは何でしょうか？ 「何かを参考にしたり見たりすること？」← 一般的にはそうですが、Excelではちょっと違います。

たとえば以下のようにセル参照して合計を計算している場合、1か所訂正したら、このように3か所の数値が自動で変わります。

| ▲ | A | B | C | D |
|---|---|---|---|---|
| 1 | | 単価 | 個数 | 合計 |
| 2 | トマト | 90 | 9 | 810 |
| 3 | にんじん | 100 | 3 | 300 |
| 4 | きゅうり | 120 | 14 | 1680 |
| 5 | はくさい | 300 | 21 | 6300 |
| 6 | キャベツ | 150 | 7 | 1050 |
| 7 | 合計 | | 54 | 10140 |
| 8 | | | | |
| 9 | | | | |
| 10 | | | | |

| ▲ | A | B | C | D |
|---|---|---|---|---|
| 1 | | | 値が変わると 合計 | |
| 2 | トマト | 90 | 17 | 1530 |
| 3 | にんじん | 100 | 3 | 300 |
| 4 | きゅうり | 120 | 14 | 1680 |
| 5 | はくさい | 300 | 21 | 6300 |
| 6 | キャベツ | 150 | 7 | 1050 |
| 7 | 合計 | | 62 | 10860 |
| 8 | | | | |
| 9 | | | 自動で変わる | |
| 10 | | | | |

これはセルを「参照」しているからできることなんです。逆にセルを参照していないと、すべての箇所を手作業で修正する必要があります。この他のセルの参照ができるというのがExcelの最も重要な機能の1つです。

## 絶対参照と相対参照

必ず覚えてほしいのが**絶対参照**と**相対参照**の違いです。この2種類の参照を同時に使用した例が、次の表です。

| | A | B | C | D |
|---|---|---|---|---|
| 1 | 商品 | 売上個数 | 割合 | |
| 2 | 商品-1 | 44 | =B2/$B$8 | |
| 3 | 商品-2 | 171 | 20.4% | |
| 4 | 商品-3 | 98 | 11.7% | |
| 5 | 商品-4 | 157 | 18.7% | |
| 6 | 商品-5 | 231 | 27.5% | |
| 7 | 商品-6 | 138 | 16.4% | |
| 8 | 合計 | 839 | 100.0% | |
| 9 | | | | |

絶対参照

　まず、B8セルで、商品の売上個数をSUM関数ですべて足しています（Chapter4-1参照）。この全体の売上個数に対して、各商品の割合を、各商品の行で計算しています（C列は、Chapter3-2の書式設定でパーセント表示にしています）。

　普通に参照を使って「商品-1」の割合を求めると次のようにC2セルに「=B2/B8」と入力することになります。

| | A | B | C | D |
|---|---|---|---|---|
| 1 | 商品 | 売上個数 | 割合 | |
| 2 | 商品-1 | 44 | =B2/B8 | |
| 3 | 商品-2 | 171 | | |
| 4 | 商品-3 | 98 | | |
| 5 | 商品-4 | 157 | | |
| 6 | 商品-5 | 231 | | |
| 7 | 商品-6 | 138 | | |
| 8 | 合計 | 839 | | |
| 9 | | | | |

相対参照

　このセルをそのまま下のセルにもコピーしてみましょう。するとどうでしょうか？　おかしなことになりましたね。

相対参照のままで進めたらおかしくなった

　C4セルの式を見ればわかるように、分母は「合計」の値を参照したいのに、コピーしたセルの位置に合わせてずれてしまっています。このように、コピー元のセルに対する相対的な位置関係を保ったまま参照する方法を**相対参照**といいます。

## F4 で絶対参照

　便利な相対参照ですが、今回のように位置を固定したいときもあります。そんなときは F4 を使って、**絶対参照**にしましょう。

　先ほどと同じように、「=B2/B8」と入力し、B8の直後にカーソルを置いて F4 を押してみてください。

F4 を押す前　　　　　　　　　　　　　　　　F4 を押したとき

「=B2/$B$8」というように、「$（ドルマーク）」がつきました。これは、「B列と8行目を固定する」という意味です。これが**絶対参照**です。このままC2セルを下のセルにもコピーしてみてください。

| | A | B | C | D |
|---|---|---|---|---|
| 1 | **商品** | **売上個数** | **割合** | |
| 2 | 商品-1 | 44 | 5.2% | |
| 3 | 商品-2 | 171 | 20.4% | |
| 4 | 商品-3 | 98 | 11.7% | |
| 5 | 商品-4 | 157 | 18.7% | |
| 6 | 商品-5 | 231 | 27.5% | |
| 7 | 商品-6 | 138 | 16.4% | |
| 8 | **合計** | 839 | 100.0% | |
| 9 | | | | |

絶対参照にしてコピー

今度は正しい値が計算されたようです。念の為、どんな式になっているかを確認してみます。

| | A | B | C | D |
|---|---|---|---|---|
| 1 | **商品** | **売上個数** | **割合** | |
| 2 | 商品-1 | 44 | 5.2% | |
| 3 | 商品-2 | 171 | 20.4% | |
| 4 | 商品-3 | 98 | =B4/$B$8 | |
| 5 | 商品-4 | 157 | 18.7% | |
| 6 | 商品-5 | 231 | 27.5% | |
| 7 | 商品-6 | 138 | 16.4% | |
| 8 | **合計** | 839 | 100.0% | |
| 9 | | | | |

絶対参照の式

分子のセル参照は相対的な位置関係を持ちつつ、分母の合計が固定されていることがわかりますね。

絶対参照はとてもよく使うので、セル参照の位置を固定したいときは F4 で絶対参照と覚えておきましょう。

# 複合参照

　先ほど見た絶対参照ですが、列も行も固定しているので、どんなセルにコピーしても必ず同じセルを参照します。でも「列だけ固定したい」「行だけ固定したい」なんてときもあると思います。そこで複合参照です。

　試しに、九九の一覧表を作ってみましょう。次の例のように、縦横に1から9の数字を並べ、それを参照してかけ算します。

　まず、B2セルに「=A2*B1」と入力して、基本の式を作ります。

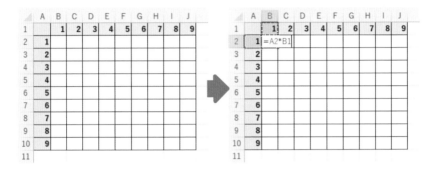

　ここで、入力した式の「A2」の直後にカーソルを移動し、F4を押します。1回だけ押すと「$A$2」となり、絶対参照になります。もう一度、さらにもう一度と押すと、「A$2」→「$A2」と「$（ドルマーク）」の位置が変わり、複合参照になります。

　行を固定するか、列を固定するか、よく考えればわかりますが、どうしても間違えることはあります。思っていた結果と違った場合は、逆の方に$マークをつけてください。何回も使っていくうちにわかるようになります

から。何回も使わない人は、無理に覚える必要はありませんからね。「これが複合参照か」程度に理解していればOKです。

　今回の例では、A2のセルは横方向にずらしたくないので、列を固定する「$A2」とします。B1セルは、縦方向にずらしたくないので、行を固定する「B$1」とします。

A2は列を固定、B1は行を固定

　あとは、残りのセルにコピーしていくだけです。といっても、一気に9×9マスにコピーすることはできません。まず縦にコピーしてから、縦9マス分を横方向にコピーします。

　セルの式を確かめてみてください。しっかりと、縦横の参照すべき数字を参照しているはずです。

　この参照の切り替え、 F4 を押すごとに次のように変更されます。いちいち「$」って入力しなくていいですからね。

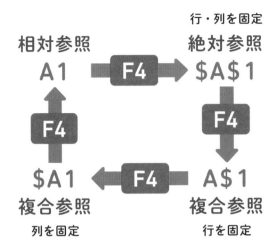

参照の切替え

## 循環参照

　参照はExcelを使いこなす上で欠かせませんが、やってしまいがちなミスとして、循環参照があります。たとえばA1セルに「=A1」と入力してみてください。下のようなメッセージが出ると思います。

　式の中で自分自身への参照があるとこうなります。「いや、そんなことしないでしょ」←確かにこの例だとそう思ってしまうかもしれません。でも、たとえばA10セルにA1からA9までの合計を求めたいとき、行数を間違えて「=SUM(A1:**A10**)」と自分自身のセルまで入れてしまうことはたまにあります。このエラーはそんなときに出てきます。

　「**参照、相対参照、絶対参照**」←この概念はExcelを使う上で必ず知っておかないといけません。

　「**複合参照、循環参照**」←これは少し難しい概念です。Excel初心者の方は「ふ〜ん、そんなのがあるのね」くらいの理解で構いません。これからExcelを使っていけば必ず理解できるときがきますから。

# SUM関数

Excel関数といえば、**SUM関数**。最も有名なExcel関数ですね。SUM関数は「**指定されたセルの数値を合計する関数**」です。

「あー、当然知ってるよ。何をいまさら」←そう言わずに聞いてください。SUM関数で学ぶべきことは、「数値を合計する関数である」ということではありません。ずばり、**参照構造**です。すべての関数を学ぶ上で、とても大事な考え方です。

SUM関数の構文はこうです。

## =SUM(数値1, [数値2], …)

「数値1」はわかるとして、「[ ]」、「…」の意味を確認しましょう。関数には「**引数**」を指定する必要があります（引数を指定しない関数もあります。TODAY関数、NOW関数など）。

SUM関数は、少なくとも1つは数値を引数として指定する必要があります。「[ ]」はこの引数を指定してもしなくてもいいという意味です。複数のセル参照をしたいときに使います。ただ、関数によっては、引数を指定しない場合は初期値が適用されるという意味の場合もあります（Chapter4-4（関数の調べ方）参照）。

また、この後にさらに続く「…」は、引数を複数個指定していいという意味です。SUM関数は最大255個まで指定することができます。

| | A | B | C |
|---|---|---|---|
| 1 | 1 | | |
| 2 | 2 | | |
| 3 | 3 | | |
| 4 | 4 | | |
| 5 | 5 | | |

1〜5を合計したいとき

たとえばこれ。1〜5を合計したいとします。みなさん、どうしますか。

模範解答は、「=SUM(A1:A5)」です。

これ、理解できますか？　引数の「数値1」に「A1セルからA5セルの**範囲**」を指定しているのです。「範囲？」「: ←これ何？」Excel初心者はこう思います。私がそうでした😫

## セル範囲を指定する

「**:（コロン）**」は、セル範囲を表すのに使用する記号です。「**:（コロン）**」の前後に2つのセルを指定し、その間に挟まれるすべてのセルによって構成される1つの参照を作成します。文章にすると意味不明ですが、以下の図を見てください。

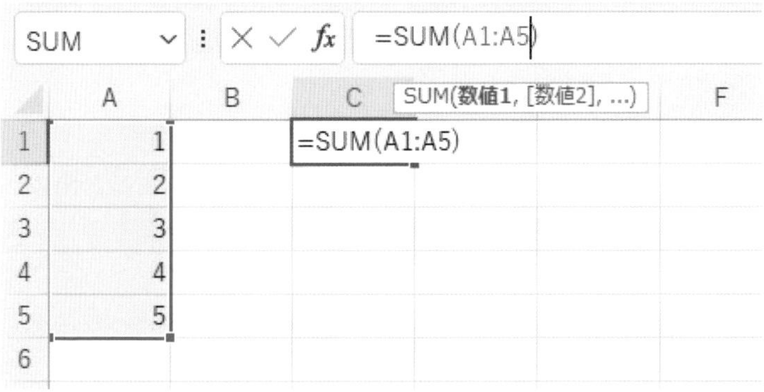


セル範囲の指定

C1セルに「=SUM(A1:A5)」と入力しました。数式バーを見てください。「A1:A5」が青字になっており、その範囲が青枠で囲まれています。

よく見ると、数式バーの下にSUM(数値1, [数値2], …)と出ています。「あなたが今入力しているのは、SUM関数のうち数値1で、それは青枠のここの範囲のことですよ」と、Excelが視覚的にわかりやすく私たちに教えてくれています。

Excelのこういう気遣いが、私はものすごく好きです。気遣いすごくないですか？

入力すると、合計値の15が表示されました。

| C1 | ⌄ | : | × | ✓ | $f_x$ | =SUM(A1:A5) |
|---|---|---|---|---|---|---|

| | A | B | C | D | E | F |
|---|---|---|---|---|---|---|
| 1 | 1 | | 15 | | | |
| 2 | 2 | | | | | |
| 3 | 3 | | | | | |
| 4 | 4 | | | | | |
| 5 | 5 | | | | | |

合計値の15

こちらも見てください。

| D1 | ⌄ | : | × | ✓ | $f_x$ | =SUM(A1:A5,B1:B5) |
|---|---|---|---|---|---|---|

| | A | B | C | SUM(数値1, **[数値2]**, [数値3], …) |
|---|---|---|---|---|
| 1 | 1 | 6 | | B5) |
| 2 | 2 | 7 | | |
| 3 | 3 | 8 | | |
| 4 | 4 | 9 | | |
| 5 | 5 | 10 | | |

B列も合計する対象に

　今度はB1〜B5に入力された6〜10も合計する対象とします。
(A1:A5,B1:B5)と、A1:A5と別に、B1:B5が赤字、赤枠で指定されています。
　そしてSUM(数値1, [数値2], [数値3], …)と、「今[数値2]まで入力しました
よ。この後[数値3]を指定してもいいし、しなくてもいいですよ」と教えて
くれています。

| B1 | ⌄ | : | × | ✓ | $f_x$ | =SUM(A1:A5,B1:B5) |
|---|---|---|---|---|---|---|

| | A | B | C | SUM(数値1, **[数値2]**, [数値3], …) |
|---|---|---|---|---|
| 1 | 1 | 6 | | B5) |
| 2 | 2 | 7 | | |
| 3 | 3 | 8 | | |
| 4 | 4 | 9 | | |
| 5 | 5 | 10 | | |

数値3

さらに、入力している最中には動く緑点線で範囲を強調してくれています。気遣い半端ないですよね。入力すると、合計値の55が表示されました。

| D1 | ∨ | ⋮ | × ✓ *fx* | =SUM(A1:A5,B1:B5) |
|---|---|---|---|---|

| | A | B | C | D | E | F |
|---|---|---|---|---|---|---|
| 1 | 1 | 6 | | 55 | | |
| 2 | 2 | 7 | | | | |
| 3 | 3 | 8 | | | | |
| 4 | 4 | 9 | | | | |
| 5 | 5 | 10 | | | | |

合計値の55

こちらも見てください。

| SUM | ∨ | ⋮ | × ✓ *fx* | =SUM(A1:B5) |
|---|---|---|---|---|

| | A | B | C | SUM(**数値1**, [数値2], ...) | F |
|---|---|---|---|---|---|
| 1 | 1 | 6 | | =SUM(A1:B5) | |
| 2 | 2 | 7 | | | |
| 3 | 3 | 8 | | | |
| 4 | 4 | 9 | | | |
| 5 | 5 | 10 | | | |

範囲を（A1：B5）にしたとき

　同じくA1〜A5の1〜5、B1〜B5の6〜10を合計しますが、今度は範囲を（A1:B5）にしています。そして引数は「数値1」になっています。「数値1」に、(A1:B5)の**セル範囲**を指定した、ということです。セル範囲は1列だけでなく、複数列でも大丈夫、というわけです。求める答えは同じですが、この違いを理解しましょう。

　今後Excel関数を使いこなせるようになると、引数をたくさん指定することになります。Excel関数は可読性が大事です。後で見直したときに、(A1:A5, B1:B5)、(A1:B5)だとどちらが見やすいですか？　当然後者です。

　どんどん行きます。SUM関数で学ぶべきことは、まだまだあります。

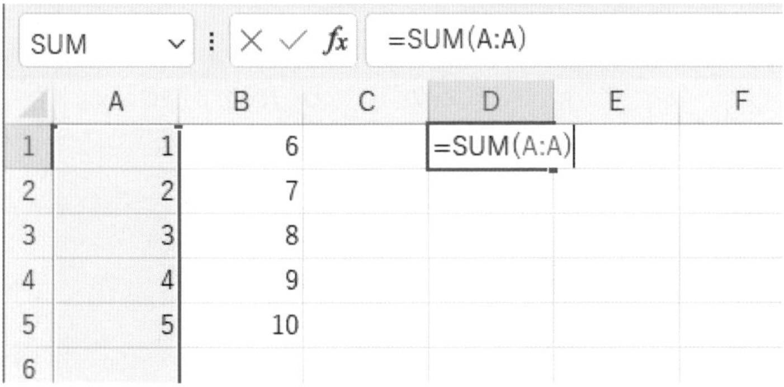

A列すべて

「数値1」が（A:A）になっています。これは「A列すべて」を指定しています。

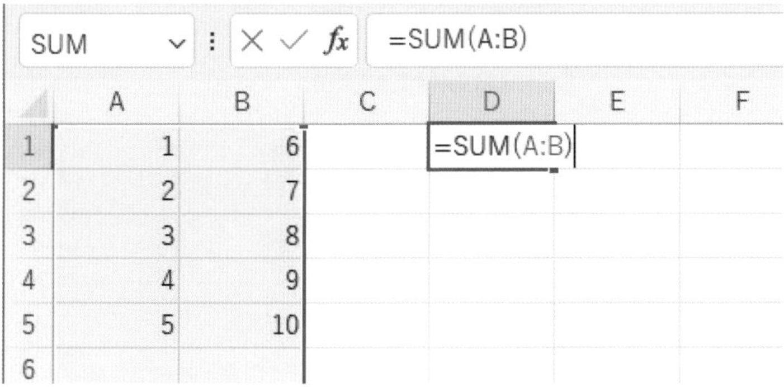

A〜B列すべて

今度は（A:B）になっています。「A〜B列すべて」を指定しています。このような範囲指定の仕方もあります。

## セルを指定する

ここまでは、SUMの引数として、**セル範囲**を指定しました。これが一般的な使い方です。

今度はセル範囲ではなく、**セル**を指定しましょう。

A1,A3,A5

　数値1に「A1セル」、数値2に「A3セル」、数値3に「A5セル」を指定しました。セル範囲ではなく、セルを1つ1つ指定しています。このように合計したいときもあるはずです。

合計値の9

　1＋3＋5=9で、9が表示されました。

　このように、「,（カンマ）」は複数セルを選択する際の区切りを意味します。

---

：（コロン）　セル範囲

,（カンマ）　複数セルの区切り

---

# 別のシートのセル範囲を指定する

　複数のシートで作業を行っていると、別のシートのセル範囲を参照したくなることもありますよね。もちろんできます。別シートのセル参照は「**シート名!セル範囲**」で指定します。

　Sheet1のA1〜A5に1〜5、Sheet2のA1〜A5に6〜10が入力されています。

| Sheet1 | | |
|---|---|---|
| | A | B | C |
| 1 | 1 | | |
| 2 | 2 | | |
| 3 | 3 | | |
| 4 | 4 | | |
| 5 | 5 | | |
| 6 | | | |

| Sheet2 | | |
|---|---|---|
| | A | B | C |
| 1 | 6 | | |
| 2 | 7 | | |
| 3 | 8 | | |
| 4 | 9 | | |
| 5 | 10 | | |
| 6 | | | |

　この2つのセル範囲を合計するには、「=SUM(A1:A5,Sheet2!A1:A5)」と入力します。手で入力してもいいですが、「=SUM(A1:A5,」まで打ち込んで、マウスで別シートのセルを選択すると、自動的に入力してくれます。

**Sheet1**

C1 ∨ ⋮ × ✓ *fx* ＝SUM(A1:A5,Sheet2!A1:A5)

| | A | B | C | D | E | F |
|---|---|---|---|---|---|---|
| 1 | 1 | | 55 | | | |
| 2 | 2 | | | | | |
| 3 | 3 | | | | | |
| 4 | 4 | | | | | |
| 5 | 5 | | | | | |
| 6 | | | | | | |

# 別ブック（ファイル）のセル範囲を指定する

　別ブックにあるセル範囲を指定してみましょう。別ブックのセル参照は「'[ブック名]シート名'!セル範囲」で指定します。ちなみにブックというのは、拡張子が「xls(x)」のExcelのファイルのことです。

　先ほどのファイルとは別に、「4-6-2.xlsx」というブックを作成し、「Sheet3」というシートのA1〜A5に11〜15を入力します。このブックを開いたまま、合計を表示するセルに「=SUM(A1:A5,」まで打ち込み、参照したいブックのセル範囲を選択してみてください。

| Sheet 1 |

| C1 | ⌄ | ⋮ | × | ✓ | $f_x$ | =SUM(A1:A5,'[4-6-2.xlsx]Sheet3'!$A$1:$A$5) |

| | A | B | C | D | E | F | G |
|---|---|---|---|---|---|---|---|
| 1 | 1 | | 80 | | | | |
| 2 | 2 | | | | | | |
| 3 | 3 | | | | | | |
| 4 | 4 | | | | | | |
| 5 | 5 | | | | | | |
| 6 | | | | | | | |

　「=SUM(A1:A5,'[4-6-2.xlsx]Sheet3'!$A$1:$A$5)」と自動入力されました。

　ここで1つ注意点があります。よく見ると、別ブックのセル参照が絶対参照になっています。オートフィルやセルのコピーなどで相対参照や複合参照を使いたい場合は、必要に応じて F4 を使って、参照方法を変更してください。

# COUNT関数

COUNT関数はその名の通り、個数を数える（Count）関数です。でも、COUNTがつく関数だけでもこれだけあります。

## COUNT、COUNTA、COUNTBLANK、COUNTIF、COUNTIFS

これらを全部使ってみたのがこれです。

| | A | B | C | D | E | F |
|---|---|---|---|---|---|---|
| 1 | | 点数 | | | | |
| 2 | A | 50 | | 生徒人数 | 8 | =COUNTA(A2:A9) |
| 3 | B | 60 | | 受験者数 | 6 | =COUNT(B2:B9) |
| 4 | C | 70 | | 欠席 | 1 | =COUNTIF(B2:B9,"欠席") |
| 5 | D | 欠席 | | 不明（空白） | 1 | =COUNTBLANK(B2:B9) |
| 6 | E | 80 | | 60点以上80点以下 | 3 | =COUNTIFS(B2:B9,">=60",B2:B9,"<=80") |
| 7 | F | 90 | | | | |
| 8 | G | | | | | |
| 9 | H | 100 | | | | |
| 10 | | | | | | |
| 11 | | | | | | |
| 12 | | | | | | |

全部なにかしらを数えています。

COUNTIF関数とCOUNTIFS関数は、IF関数の使い方と一緒に説明した方がわかりやすいので、ここではそれ以外の関数について紹介します。

## COUNT関数、COUNTA関数

この2つはよく使う関数です。どちらも値が入力されているセルの個数を数える関数ですが、数える対象が微妙に違います。

この2つの関数の構文はこうです。

# =COUNT(範囲)

# =COUNTA(範囲)

> COUNT　数値が入力されているセルの個数を数える
> COUNTA　空白ではないセルの数を数える

　どちらも引数は範囲のみです。これはSUM関数でみたのと同じですね。範囲で指定しても良いし、いくつかのセルを分けて指定しても良いです。

　まずCOUNTA関数ですが、これは単純に空白ではないセルの個数を数える関数です。どんな値でも構いません。それに対してCOUNT関数は少し特殊です。入力されている値が数値であるセルの個数を数えます。

　次の表で違いを見てみましょう。

| ▲ | A | B | C | D | E | F |
|---|---|---|---|---|---|---|
| 1 | | 点数 | | | | |
| 2 | A | 50 | | 生徒人数 | 8 | =COUNTA(A2:A9) |
| 3 | B | 60 | | 受験者数 | 6 | =COUNT(B2:B9) |
| 4 | C | 70 | | | | |
| 5 | D | 欠席 | | | | |
| 6 | E | 80 | | | | |
| 7 | F | 90 | | | | |
| 8 | G | | | | | |
| 9 | H | 100 | | | | |
| 10 | | | | | | |
| 11 | | | | | | |
| 12 | | | | | | |

　A列をCOUNTA関数の引数に指定すると、アルファベットが記載されているセルの数が数えられています。

　それに対して、点数の列には、点数か空白か、「欠席」という文字列が入力されたセルがあります。この列をCOUNT関数の引数に指定すると、数値データが入力されているセルの個数のみが数えられています。本来数値が入るべきセルに文字列が入るのはあまりよくないのですが、このような入力ルールがある場合には、ある意味使える関数です。

# COUNTBLANK関数

COUNTBLANK関数の構文はこうです。

## =COUNTBLANK(範囲)

　この関数は、空白のセルの個数を数える関数です。これまで見た関数と違い、引数に指定するのは範囲のみで、COUNTIF関数で条件を「""」としたものと結果は同じです。

　空白セルを数えたいときもありますよね。関数名でCOUNTBLANKと書かれていた方が、読んですぐに「あ、空白セルを数えているんだな」ということがわかります。見てすぐにわかるというのは、後々のメンテナンスがしやすくなることにもつながるので、覚えておいて損はありません。

COUNT　数値が入力されているセルの個数を数える

COUNTA　空白ではないセルの個数を数える

COUNTBLANK　空白のセルの個数を数える

# Ch 4-8
関数

# IF／IFS関数

　ここまでで、SUM関数、COUNT関数と「合計する」「数える」といった「計算する」関数を見てきました。そこからガラッと変わって、このIF関数は**条件分岐を扱う「計算じゃない関数」**です。とっつきづらいですが、必ず身につけてほしい関数です。

　しかも、IFのつくおもな関数だけでもこれだけあります。

---

### IF、IFS、COUNTIF、COUNTIFS、IFERROR、SUMIF、SUMIFS

---

　このSECTIONでは、**IF、IFS、COUNTIF、COUNTIFS、SUMIF、SUMIFS**の説明をします。また、IFERRORはChapter4-12で扱います。他にもAVERAGEIF、AVERAGEIFS、MAXIFS、MINIFSがあります。

　まずは基本中の基本、IF関数から見ていきましょう。

## IF関数

　まず、IF関数の構文はこうです。

## =IF(論理式, 真の場合, 偽の場合)

　まず1番目の引数は**論理式**です。「論理式！？　うげー、何か難しそうな単語出てきた〜」←わかります。ですが、ここはExcel初心者を脱することができるかどうかの瀬戸際です！　頑張って読み進めてください。論理式とは、要は、**条件判断を表す式**のことです。

　たとえば「A1の値は10以上か？」「B2の値は文字列"エクセル"と同じか？」といった条件判断を、「A1>=10」「B2="エクセル"」という式で書きます。

論理式は、2つの値をこうした等号や不等号を使って比較して、条件を満たすかどうかを判断します。論理式に使われる記号にはこんなものがあります。

| 記号 | 意味 | 例 | 例の意味 |
|---|---|---|---|
| = | 等しい | A1=1 | A1セルは1に等しいか |
| > | より大きい | A1>1 | A1セルは1より大きいか |
| < | 未満 | A1<1 | A1セルは1未満か |
| >= | 以上 | A1>=1 | A1セルは1以上か |
| <= | 以下 | A1<=1 | A1セルは1以下か |
| <> | 等しくない | A1<>1 | A1セルは1に等しくないか |

　論理式が成り立つ場合はTRUE（真）、成り立たない場合はFALSE（偽）となります。「どういうこと？」と思いますよね。こんなふうに入力すると少しはわかるかもしれません。

| | A | B | C |
|---|---|---|---|
| 1 | 表示結果 | 入力した式 | |
| 2 | TRUE | =10>1 | |
| 3 | FALSE | =10<1 | |
| 4 | | | |
| 5 | | | |

　A列にはTRUEとFALSEという値が入っています。「さっきから、TRUEとかFALSEってなんなの？」←ちゃんと説明するのは今回が初めてです😥　要は、条件を満たすかどうかを意味する値です。

　上の表のB列には、A列に入力した論理式が書いてあります。たとえば「=10>1」という式は、「10は1よりも大きい？」という意味です。これは当たり前ですよね。なのでTRUEという値が入っているのです。逆に「=10<1」という式は「10は1よりも小さい？」という意味です。これは成り立たないのでFALSEという値が入っています。論理式が条件を満たせばTRUE、満たさなかったらFALSEになります。

ちなみに、入力した式の先頭が「＝」になっているのは、このセルの値は式ですよ、ということを示すために入れています。これがないとただの文字列になってしまうので、気をつけてください。

　さて、今度は参照を使って、もうちょっと実践っぽく使ってみましょう。次の表は、テストの成績を評価する表です。

| C2 | ∨ | : | × ✓ fx | =IF(B2>=80,"合格","不合格") | | |
|---|---|---|---|---|---|---|

| | A | B | C | D | E | F |
|---|---|---|---|---|---|---|
| 1 | 名前 | 点数 | 判定 | | | |
| 2 | 佐藤 | 64 | 不合格 | | | |
| 3 | 田中 | 91 | 合格 | | | |
| 4 | 山田 | 82 | 合格 | | | |
| 5 | 鈴木 | 47 | 不合格 | | | |
| 6 | 小林 | 37 | 不合格 | | | |
| 7 | 松本 | 34 | 不合格 | | | |
| 8 | 加藤 | 66 | 不合格 | | | |
| 9 | 藤田 | 84 | 合格 | | | |
| 10 | 木下 | 45 | 不合格 | | | |
| 11 | | | | | | |

　80点以上なら合格、そうでない（80点未満の）場合は不合格と表示します。

　このように、IF関数は「もし○○なら××、そうでなければ□□」と、2択で条件判断する使い方をします。必ず3つの引数がセットでなければなりません。

## IF関数のネスト

　先ほど、「IF関数は2択で条件判断する」と書きました。でも、実際には複数の条件を指定したいこともありますよね。

　たとえば、先ほどの成績の判定で言えば、点数に応じて「A」「B」「C」など、いくつかの段階に分けて判定したいことがあると思います。そんなときに

使えるのが、**IF関数のネスト**です。「ネスト？　またよくわからない言葉が出てきた！」←はい、日常会話でネストなんて言葉、使いませんよね😶関数の引数に、さらに関数を入れることをネストといいます。日本語では入れ子といったりもします。

使い方はこんな感じです。

| | A | B | C | D | E | F | G |
|---|---|---|---|---|---|---|---|
| | **C2** | | fx | =IF(B2>=90,"A",IF(B2>=80,"B","C")) | | | |
| 1 | 名前 | 年齢 | 判定 | | | | |
| 2 | 佐藤 | 64 | C | | | | |
| 3 | 田中 | 91 | A | | | | |
| 4 | 山田 | 82 | B | | | | |
| 5 | 鈴木 | 47 | C | | | | |
| 6 | 小林 | 37 | C | | | | |
| 7 | 松本 | 34 | C | | | | |
| 8 | 加藤 | 66 | C | | | | |
| 9 | 藤田 | 84 | B | | | | |
| 10 | 木下 | 45 | C | | | | |
| 11 | | | | | | | |

Ｃ２セルに入力した式はこのようになっています。
=IF(B2>=90,"A",IF(B2>=80,"B","C"))

90点以上なら「A」と表示します。そうでない場合の第3引数にさらにIF関数を入れています。これが関数のネストです。

ネストしたIF関数は、80点以上なら「B」を表示するように書いています。「あれ？　最初の90点以上という条件も80点以上だけど？」←鋭い👍
IF関数のネストは前から順番に判定をしていくので、この場合は90点未満80点以上という範囲の場合のみがTRUEになります。そしてどれにも当てはまらなければ、「C」となります。

# IFS関数

IF関数はネストをいくつも重ねて何段階にでも条件分岐ができますが、最近Excelに追加された**IFS関数**を使えば、ネストをしなくても複数の条件で分岐できます。

IFS関数の構文はこうです。

## =IFS(論理式1, TRUEの場合の処理1, [論理式2, TRUEの場合の処理2] , …)

論理式とTRUEの場合の処理が1セットになっていて、それがいくつも追加できる形になっています。「あれ？　FALSEの場合の処理が見当たらないような？」←そうなんです。IF関数とは違い、「FALSEの場合の処理」という式がありません。たとえば2つの論理式を指定したとして、2つともFALSEの場合だったときにどうするか？　というのが指定できないのです。

これに対処するには、少し工夫が必要です。といっても、簡単な話です。3つ目の論理式を「TRUE」にし、どれにも当てはまらない場合の処理を指定します。つまり、IFSの構文は、こう覚えておくのが正解です。

## =IFS(論理式1, TRUEの場合の処理1, [論理式2, TRUEの場合の処理2] , …, TRUE, どれにも当てはまらない場合の処理)

これを使って先ほどのABCの判定の式を書くと、次のようになります。

=IFS(B2>=90,"A",B2>=80,"B",TRUE,"C")

ちなみに、「TRUE」の部分は「1=1」でも構いません。必ずTRUEになるものが入っていればOKです。

私も初めてIFS関数を使ったとき、当てはまらない場合の書き方に悩みました🔒　まさか自分で工夫しないといけないとは思いませんよね。

## AND、OR関数で論理式を柔軟に活用しよう

　論理式という言葉がたくさん出てきましたが、必ずしも「AがBならば」という簡単な条件ばかりではないですよね。たとえば「AがBかつCならば」とか「AがBまたはCならば」というような、複数の条件を使いたいことがあると思います。そんなときに使えるのが**AND**関数と**OR**関数です。ANDが「かつ」、ORが「または」です。それぞれの構文はこうです。

# =AND(論理式1,論理式2,[論理式3],…)
# =OR(論理式1,論理式2,[論理式3],…)

　どちらも2つ以上の論理式を引数に指定します。ANDは引数に指定した論理式がすべてTRUEならばTRUEを返し、それ以外の場合はFALSEを返します。ORは指定した引数のどれかがTRUEならばTRUE、すべてFALSEならFALSEを返します。

　次の表は、テストの成績で合格・不合格を判定する表です。AND関数で2教科とも80点以上の場合に合格となる判定をしています。

| D2 | | ✕ ✓ *fx* | =IF(AND(B2>=80,C2>=80),"合格","不合格") | | | |
|---|---|---|---|---|---|---|
| | A | B | C | D | E | F | G |
| 1 | 名前 | 数学 | 国語 | 判定（2教科） | | | |
| 2 | 佐藤 | 64 | 76 | 不合格 | | | |
| 3 | 田中 | 91 | 87 | 合格 | | | |
| 4 | 山田 | 82 | 43 | 不合格 | | | |
| 5 | 鈴木 | 47 | 67 | 不合格 | | | |
| 6 | 小林 | 37 | 43 | 不合格 | | | |
| 7 | 松本 | 34 | 89 | 不合格 | | | |
| 8 | 加藤 | 66 | 78 | 不合格 | | | |
| 9 | 藤田 | 84 | 98 | 合格 | | | |
| 10 | 木下 | 45 | 34 | 不合格 | | | |

ちなみにこれ、IF関数のネストを使って、「=IF(B2>=80,IF(C2>=80,"合格","不合格"),"不合格")」←こんなふうにも書けます。でも複雑でわかりにくいですよね。

　今度は、判定条件をもうちょっと緩くして、1教科でも80点以上なら合格判定にしてみましょう。OR関数を使ってこうです。

| | A | B | C | D | E | F | G |
|---|---|---|---|---|---|---|---|
| | | | | | | | |

D2　=IF(OR(B2>=80,C2>=80),"合格","不合格")

| | A | B | C | D | E | F | G |
|---|---|---|---|---|---|---|---|
| 1 | 名前 | 数学 | 国語 | 判定（1教科） | | | |
| 2 | 佐藤 | 64 | 76 | 不合格 | | | |
| 3 | 田中 | 91 | 87 | 合格 | | | |
| 4 | 山田 | 82 | 43 | 合格 | | | |
| 5 | 鈴木 | 47 | 67 | 不合格 | | | |
| 6 | 小林 | 37 | 43 | 不合格 | | | |
| 7 | 松本 | 34 | 89 | 合格 | | | |
| 8 | 加藤 | 66 | 78 | 不合格 | | | |
| 9 | 藤田 | 84 | 98 | 合格 | | | |
| 10 | 木下 | 45 | 34 | 不合格 | | | |

　これもIF関数のネストを使うと「=IF(B2>=80,"合格",IF(C2>=80,"合格","不合格"))」と書けますが、これを解読するのは面倒すぎますよね。頑張って読めても、正しく理解できているか不安になります。でも、OR関数が使用されていれば、「"または"なんだな」ということが一発でわかります。

　AND関数もOR関数も、引数の論理式は255個まで指定できます。実際にそんなにたくさん使うことはないと思いますが、複数の論理式が必要な場合は、これが使えないかぜひ考えてみてください。

---

**IF 指定した条件がTRUEの場合とFALSEの場合の処理を行う**
**IFS 複数の条件を指定して処理を行う**

---

# COUNTIF／COUNTIFS 関数

## COUNTIF関数

さてIF、IFSときたら、この流れでCOUNTIFをマスターしましょう。関連付けて学べますからね。**COUNTIF関数**の構文はこうです。

## =COUNTIF(範囲, 検索条件)

COUNTIF関数に必要な引数は、**範囲**と**検索条件**の2つです。SUM関数とは違い、必ず2つの引数が必要です。

**範囲**についてはSUM関数で見ましたね。参照する範囲を指定します。ただし、SUM関数とは違って、飛び飛びに複数の範囲を指定することはできません。

次の**検索条件**は、個数を数える条件です。ここで指定した条件に当てはまるセルの個数を数えてくれます。たとえば下の図のように、検索条件に"男"と指定すれば、"男"と入力されているセルの個数を数えてくれます。

| E2 | ⌄ | : | × ✓ fx | =COUNTIF(B2:B10,"男") | | | |
|---|---|---|---|---|---|---|---|
| | A | B | C | D | E | F | G | H |
| 1 | 名前 | 性別 | | | | | |
| 2 | 佐藤 | 男 | | 男の数 | 5 | | |
| 3 | 田中 | 女 | | | | | |
| 4 | 山田 | 男 | | | | | |
| 5 | 鈴木 | 女 | | | | | |
| 6 | 小林 | 男 | | | | | |
| 7 | 松本 | 男 | | | | | |
| 8 | 加藤 | 女 | | | | | |
| 9 | 藤田 | 女 | | | | | |
| 10 | 木下 | 男 | | | | | |
| 11 | | | | | | | |

たとえば、30歳以上の人数を知りたい場合はどうでしょうか？　これは値が一致する条件を指定するより少し難しくなります。条件となる値を直接入力する方法と、参照する方法の2通りがあります。

| | A | B | C | D | E | F |
|---|---|---|---|---|---|---|
| 1 | 名前 | 年齢 | | | | |
| 2 | 佐藤 | 21 | | 条件の数値を直接入力 | | |
| 3 | 田中 | 58 | | 30歳以上 | 6 | =COUNTIF(B2:B10,">=30") |
| 4 | 山田 | 53 | | | | |
| 5 | 鈴木 | 20 | | 条件の数値を参照 | | |
| 6 | 小林 | 46 | | 30 | 6 | =COUNTIF(B2:B10,">="&D6) |
| 7 | 松本 | 35 | | | | |
| 8 | 加藤 | 44 | | | | |
| 9 | 藤田 | 43 | | | | |
| 10 | 木下 | 20 | | | | |
| 11 | | | | | | |

まず、条件の数値を直接入力する場合では、条件を「">=30"」と、文字列で入力しています。「>=」は、「この記号の右の値以上」という意味です。

「あれ？　検索条件って論理式なの？　しかもなんでダブルクオーテーションがついてるの？」←そう、めちゃくちゃ紛らわしいですよね。実は、検索条件に指定できるのは、数値または文字列なのです。それに一致するかどうかを判定して、数え上げてくれます。今みたように「">=30"」と指定したのは、その特別な場合です。論理式を文字列で書くと、それを条件とみなして判定してくれるようになっています。

条件にセル参照を使いたい場合は、文字列を結合する演算子「&」を使って「">="&D6」と入力します。つまり、D6の値を文字列として扱って、">=30"という文字列をここで作っているわけですね。このように引数の「"」や「&」を正しく使わないとエラーになります。私も初めは「なんでエラーになるんや！」ってなりました。初心者のつまずきポイントですが、誰もが通る道だと思ってください。失敗は成功の母！

# COUNTIFS関数

COUNTIF関数では、指定できる条件は1つだけでした。でも実際に使っていると、条件を複数個指定して数えたくなるときもありますよね。そんなときに使うのが**COUNTIFS関数**です。COUNTIF関数に複数形のSがついただけです。COUNTIFS関数の構文はこうです。

# =COUNTIFS(範囲1, 検索条件1, [範囲2, 検索条件2], [範囲3, 検索条件3], …)

はい、見覚えがある形ですね。「[ ]」は入力しなくても良い引数です。ただ、SUM関数と違うのは、2つの引数がセットになっている点です。COUNTIF関数で見たように、範囲と条件がセットでないとCOUNTIF関数は成り立ちません。COUNTIFS関数は、条件を複数個指定できるので、当然範囲と条件をセットで指定しないといけません。

下の表は「20歳以上」かつ「30歳未満」の数を数えています。

| | A | B | C | D | E | F |
|---|---|---|---|---|---|---|
| 1 | | 年齢 | | | | |
| 2 | 佐藤 | 21 | | 20以上30未満 | 3 | =COUNTIFS(B2:B10,">=20",B2:B10,"<30") |
| 3 | 田中 | 58 | | | | |
| 4 | 山田 | 53 | | | | |
| 5 | 鈴木 | 20 | | | | |
| 6 | 小林 | 46 | | | | |
| 7 | 松本 | 35 | | | | |
| 8 | 加藤 | 44 | | | | |
| 9 | 藤田 | 43 | | | | |
| 10 | 木下 | 20 | | | | |

B列が20以上30未満のデータの個数がカウントされていますね。

COUNTIFS関数のように、複数の引数がセットで省略可能なこともあるということを覚えておきましょう。

---

**COUNTIF** 指定した条件を満たすデータの数を数える

**COUNTIFS** 指定した複数の条件を満たすデータの数を数える

---

# SUMIF／SUMIFS関数

## SUMIF関数

SUM関数は指定した範囲の数値を合計する関数でした。それにIFがつくということは、**条件を満たす場合に合計する**ということだろうと、なんとなくわかりますよね。

SUMIF関数の構文はこうです。

# =SUMIF(範囲, 検索条件, [合計範囲])

この関数は必須の引数が2つです。引数が2つのときは、「範囲」の値が「検索条件」を満たす「範囲」のセル値を合計します。それに対して、引数が3つのときは、「範囲」の値が「検索条件」を満たす「合計範囲」のセル値を合計します。要は、「合計範囲」が「範囲」と同じなら省略できるということです。

よく使うのは、合計範囲を指定する引数が3つの場合で、次のように使用します。

| F3 | ✓ | ✗ ✓ *fx* | =SUMIF(C2:C10,"レタス",D2:D10) | | | |
|---|---|---|---|---|---|---|
| | A | B | C | D | E | F |
| 1 | 日付 | 支店 | 商品 | 売上 | | |
| 2 | 10月10日 | 東京 | キャベツ | 4730 | | レタスの売上 |
| 3 | 10月10日 | 大阪 | レタス | 8430 | | 29820 |
| 4 | 10月10日 | 東京 | 白菜 | 5670 | | |
| 5 | 10月11日 | 東京 | レタス | 9540 | | |
| 6 | 10月11日 | 名古屋 | キャベツ | 4830 | | |
| 7 | 10月11日 | 名古屋 | レタス | 5960 | | |
| 8 | 10月12日 | 大阪 | 白菜 | 9470 | | |
| 9 | 10月12日 | 名古屋 | キャベツ | 9500 | | |
| 10 | 10月12日 | 東京 | レタス | 5890 | | |

# SUMIFS関数

もうわかりますね。SUMIFでは指定できる条件が1つだけでしたが、複数形のSがついて複数の条件を指定できるということです。

SUMIFS関数の構文はこうです。

# =SUMIFS(合計対象範囲, 条件範囲1, 条件1, [条件範囲2, 条件2], …)

1番目の引数で「合計対象範囲」を指定して、あとは「条件範囲」と「条件」をセットで必要なだけ追加していきます。具体的には次のように使用します。

| F3 | | : | × | ✓ | fx | =SUMIFS(D2:D10,C2:C10,"レタス",B2:B10,"東京") | |
|---|---|---|---|---|---|---|---|
| ▲ | A | B | C | D | E | F | G |
| 1 | 日付 | 支店 | 商品 | 売上 | | | |
| 2 | 10月10日 | 東京 | キャベツ | 4730 | | 東京支店のレタスの売上 | |
| 3 | 10月10日 | 大阪 | レタス | 8430 | | 15430 | |
| 4 | 10月10日 | 東京 | 白菜 | 5670 | | | |
| 5 | 10月11日 | 東京 | レタス | 9540 | | | |
| 6 | 10月11日 | 名古屋 | キャベツ | 4830 | | | |
| 7 | 10月11日 | 名古屋 | レタス | 5960 | | | |
| 8 | 10月12日 | 大阪 | 白菜 | 9470 | | | |
| 9 | 10月12日 | 名古屋 | キャベツ | 9500 | | | |
| 10 | 10月12日 | 東京 | レタス | 5890 | | | |

先ほどのSUMIFの条件に加えて、表のB列が「東京」であるという条件が追加されています。つまり、東京支店のレタスの売上を計算しているわけですね。

SUMIFやSUMIFSで指定できる条件は、Chapter4-9で紹介した「検索条件」と同じです。文字列で指定する必要があることに注意してください。

---

**SUMIF** 指定した条件がTRUEの場合のみ、対象範囲の値を合計する
**SUMIFS** 複数の条件に対してTRUEの場合のみ、対象範囲の値を合計する

---

# VLOOKUP関数

出ました。**VLOOKUP関数**。この関数は、Excel関数の中でも**別格**です。

Excel関数界では超有名な関数ですが、Excel関数に興味がないExcel初心者には全く未知の関数のはずです。私もExcelを勉強するまで、その存在すら知りませんでした。「合計したい→SUM、探したい→FIND」←こうはなりますが、「縦方向に探したい→VLOOKUP」←普通にExcelを使っているだけでは、絶対こうはなりませんから😬

Excelを勉強して初めてその存在を知り、言われるがまま使ってみてその便利さに驚く。「こんな関数があるのか」「てか、Excelってすげーな」そんな体験を与えてくれるのが、このVLOOKUP関数なのです。

### テーブルや表からデータを縦方向に検索する

## =VLOOKUP（検索値, 範囲, 列番号, [検索方法]）

さて、↑これだけ見て意味がわかりますか？ 「引数4つ！？ ムリムリムリ……」←正常なリアクションです。しかしここは頑張りどころです。一度ここに書いてある通りに操作してみてください。「あ〜なるほど、そういうことね」ってなりますから。この経験が大事！

## 何をする関数？

お店などで扱っている商品には似たような名前の商品がたくさんあり、産地も違えば値段も異なります。そうした情報を表にして整理しても、データが多ければ値段や産地などを探し出すのは結構大変です。そんなとき、商品ごとにそれぞれ異なるIDを振っておき、調べたい商品のIDを指定するとデータを取ってきてくれるのが**VLOOKUP関数**です。

まずは次のような表を用意してみましょう。

| | A | B | C | D |
|---|---|---|---|---|
| 1 | ID | 商品名 | 産地 | 単価 |
| 2 | A001 | りんご | 青森 | 170 |
| 3 | A002 | なし | 千葉 | 150 |
| 4 | A003 | かき | 和歌山 | 120 |
| 5 | A004 | いちご | 栃木 | 380 |
| 6 | A005 | ぶどう | 山梨 | 580 |
| 7 | | | | |

　そしてVLOOKUP関数を使用して、この表の【ID】をG2セルに入力すると、【商品名】【産地】【単価】が表示されるようにします。

　データの検索は、この図のように縦方向に行われます。つまり、VLOOKUPのVは縦方向（Vertical）、LOOKUPは探すという意味なのです。マスターデータに対して、データが積み上がっている方向に探すということですね。

## Vertical

| | A | B | C | D | E | F | G | H |
|---|---|---|---|---|---|---|---|---|
| 1 | ID | 商品名 | 産地 | 単価 | | | ID検索 | 式 |
| 2 | A001 | りんご | 青森 | 170 | | ID | A003 | |
| 3 | A002 | なし | 千葉 | 150 | | 商品名 | かき | =VLOOKUP($G$2,$A$2:$D$6,2,FALSE) |
| 4 | A003 | かき | 和歌山 | 120 | | 産地 | 和歌山 | =VLOOKUP($G$2,$A$2:$D$6,3,FALSE) |
| 5 | A004 | いちご | 栃木 | 380 | | 単価 | 120 | =VLOOKUP($G$2,$A$2:$D$6,4,FALSE) |
| 6 | A005 | ぶどう | 山梨 | 580 | | | | |
| 7 | | | | | | | | |
| 8 | | | | | | | | |

では、指定する引数について見てみましょう。

　まず、1番目の引数には、G2セルを指定しています。このセルに検索したいIDを入力し、「このセルに入力されたIDのデータをとってきて」という意味になります。

　2番目の引数にはデータの範囲を指定しています。「この中からデータを探して」といったところですね。重要なのは、この範囲の一番左の列が必ずキー（探すための値）になるということです。なので、たとえばG2セル

に商品名や産地などを入力しても、一番左の列には該当するデータは見つからないことになります。

**この範囲がキーになる**

　3番目の引数には、とってくるデータの列番号を指定しています。ただ、列番号といっても、シートの列番号（アルファベット）ではなく、2番目の引数で指定したデータ範囲での列番号です。この例の場合、【ID】が列番号1で、右方向に【商品名】が2、【産地】が3、【単価】が4と増えていきます。

**この範囲
の列番号**

# [検索方法] について

　4番目の引数は［検索方法］です。この引数にはTRUEまたはFALSEを指定します。完全に一致する値を検索する場合はFALSE、近い値を検索する場合はTRUEを選択します。完全に一致する値を検索する場合が多いと思うので、基本的にはFALSEを選択しましょう。

　もしTRUEで使うとすれば、↓こんなふうに使いますが、かなり上級テクです！

| | A | B | C | D | E | F |
|---|---|---|---|---|---|---|
| 1 | 名前 | 点数 | 評価 | | 点数 | 評価 |
| 2 | 佐藤 | 82 | 良 | =VLOOKUP(B2,$E$2:$F$5,2,TRUE) | 0 | 不可 |
| 3 | 鈴木 | 84 | 良 | | 60 | 可 |
| 4 | 清水 | 73 | 可 | | 80 | 良 |
| 5 | 山田 | 52 | 不可 | | 90 | 優 |
| 6 | 谷口 | 93 | 優 | | | |
| 7 | 斎藤 | 80 | 良 | | | |
| 8 | | | | | | |

　これは、4番目の引数をTRUEにすると、検索値以下の値のうち、最大のデータをとってくるという仕様になっているからです。たとえば、検索値が82点の場合、範囲の中で82点以下なのは0点の「不可」、60点の「可」、そして80点の「良」です。この中で一番大きいのは80点の「良」なので、判定は「良」となります。

　ただし、この仕様を使う場合は、キーの値を昇順（上から下に値が大きくなる順）に並べておく必要があります。そうしないと、訳のわからない値が表示されてしまうことがあります。

　あまり一般的な使い方ではないので、FALSEの使い方を覚えておけば大丈夫です。知りたいという方は、ご自分で調べてみてください！

# IFERROR関数

エラー値はたくさんありますが、意味を覚える必要はありません。少なくとも私は「エラー値の種類を見たおかげでエラーを解決できた！」なんてことはありません。参照元を見れば、空白だったり、数値のはずなのに文字列になっていたりして、たいていは自分でエラーの原因がわかるはずです。

エラーで大事なのは、エラーだった場合にそれを表示するかどうかです。「え？　エラーなんだから、わかるように表示させといた方がいいんじゃないの？」←いやいや、いつもそうとは限りません。

たとえば、Excelに詳しくない人が入力中にエラーを発生させてしまった場合、「なにこの記号！？　壊しちゃったかな😱」←こんなふうに驚かせてしまうかもしれません。もしそのセルがエラーを表示しなくてもいいような場所なら、あらかじめ表示しないようにしたり、どうしてほしいかメッセージを表示させたりしたくないですか？

そんなときに使えるのが**IFERROR関数**です。これを使えば、「IF（もし）ERROR（エラー）ならどうする？」をあらかじめ仕込んでおけます。

IFERROR関数の構文はこうです。

**値がエラーだった場合に、指定した値を返す**

## =IFERROR（値,エラーの場合の値）

エラーではなかった場合、1番目に入力した引数の値が表示されますが、エラーの場合は2番目の引数の値が表示されます。

では、簡単な例を使って使い方を見てみましょう。

こんなデータがあるとします。

| | A | B | C |
|---|---|---|---|
| 1 | 割られる数 | 割る数 | 答え |
| 2 | 3 | 3 | 1 |
| 3 | 3 | 2 | 1.5 |
| 4 | 3 | 1 | 3 |
| 5 | 3 | 0 | #DIV/0! |
| 6 | 3 | - | #VALUE! |
| 7 | | | |

A列の数値をB列で割った値がC列に表示されるようになっています。たとえばC2セルには「=A2/B2」と入力されています。

「答え」をみると、割る数が「3」「2」「1」のときは正しく計算できていますが、「0」「-」のときはエラー値になっています。B5が「0」だと、割る数が0なのでエラー（#DIV/0!）、B6が「-」だと、割る数が文字列のためエラー（#VALUE!）となっていますね。

| | A | B | C |
|---|---|---|---|
| 1 | 割られる数 | 割る数 | 答え |
| 2 | 3 | 3 | 1 |
| 3 | 3 | 2 | 1.5 |
| 4 | 3 | 1 | 3 |
| 5 | 3 | 0 | =A5/B5 |
| 6 | 3 | - | #VALUE! |
| 7 | | | |

C列の式

要するに、この処理はC列の式にはエラーが発生する可能性があるわけです。なので、C列をIFERROR関数を使って修正してみましょう。

まず、C2セルを選択し、**F2** で編集モードにします。**Home** でカーソルを先頭に移動し、「=if」と入力します。

| | A | B | C | |
|---|---|---|---|---|
| 1 | 割られる数 | 割る数 | 答え | |
| 2 | | 3 | 3 =ifA2/B | |
| 3 | 3 | 2 | | |
| 4 | 3 | 1 | 3 | |
| 5 | 3 | 0 | #DIV/0! | |
| 6 | 3 | - | #VALUE! | |
| 7 | | | | |

*fx* IF
*fx* IFERROR
*fx* IFNA
*fx* IFS

=ifと入れて出る候補

関数の候補からIFERRORを選択し、**Tab**を押します。

| | A | B | C | |
|---|---|---|---|---|
| | | | | IFERROR(値, エラーの場合の値) |
| 1 | 割られる数 | 割る数 | 答え | |
| 2 | 3 | 3 | =IFERROR(A2/B2 | |
| 3 | 3 | 2 | 1.5 | |
| 4 | 3 | 1 | 3 | |
| 5 | 3 | 0 | #DIV/0! | |
| 6 | 3 | - | #VALUE! | |
| 7 | | | | |

IFERRORを選択し、**Tab**を押す

　IFERROR関数の引数「値」にはA2/B2が入力された状態になります。そのまま**End**を押してカーソルを右端に移動させ、「,（カンマ）」を入力して「エラーの場合の値」に「""（ダブルクオーテーション×2）」と入力します。最後に**Tab**を押すと、セルの中身が「=IFERROR(A2/B2,"")」となり、式の完成です。

　残りのセルに同じ処理をコピーするために、C2〜C6セルを選択して**Ctrl**＋**D**を押して、下方向にコピペします。

| C2 | | : | × ✓ | $fx$ | =IFERROR(A2/B2,"") | |
|---|---|---|---|---|---|---|

| | A | B | C | D | E |
|---|---|---|---|---|---|
| 1 | 割られる数 | 割る数 | 答え | | |
| 2 | 3 | 3 | 1 | | |
| 3 | 3 | 2 | 1.5 | | |
| 4 | 3 | 1 | 3 | | |
| 5 | 3 | 0 | #DIV/0! | | |
| 6 | 3 - | | #VALUE! | | |
| 7 | | | | | |

**Ctrl** + **D** 🗐

エラー値だったC5セルとC6セルが空白になりました。

| C6 | | : | × ✓ | $fx$ | =IFERROR(A6/B6,"") | |
|---|---|---|---|---|---|---|

| | A | B | C | D | E |
|---|---|---|---|---|---|
| 1 | 割られる数 | 割る数 | 答え | | |
| 2 | 3 | 3 | 1 | | |
| 3 | 3 | 2 | 1.5 | | |
| 4 | 3 | 1 | 3 | | |
| 5 | 3 | 0 | | | |
| 6 | 3 - | | | | |
| 7 | | | | | |

　こんなふうに、「実際に式を入力してみたらエラーが出る可能性があることがわかったので、IFERROR関数を使って修正する」という使い方が多いと思います。どんな種類のエラーかは関係ありません。「とにかくエラーだったらこうして！」という場合に使いましょう。

　ところで、Excelに慣れていない人からしたら、今の状況もちょっとわかりにくいですよね。せっかく値を入れたのに、答えが出ないのですから。こういうときは入力した値が正しいか確認してもらえればいいので、「""」としたところを「"！エラー値！"」のようにしておけば、何かおかしいことが伝わりますね。

| C2 | ∨ | : | × | ✓ | *fx* | =IFERROR(A2/B2,"！エラー値！") |

| | A | B | C | D | E | F |
|---|---|---|---|---|---|---|
| 1 | 割られる数 | 割る数 | 答え | | | |
| 2 | 3 | 3 | 1 | | | |
| 3 | 3 | 2 | 1.5 | | | |
| 4 | 3 | 1 | 3 | | | |
| 5 | 3 | 0 | ！エラー値！ | | | |
| 6 | 3 | - | ！エラー値！ | | | |
| 7 | | | | | | |

「！エラー値！」と出す

# IFERROR関数のよくある使い方

IFERROR関数のよくある使い方としては、VLOOKUP関数との組み合わせがあります。たとえば次のように、A列に入力した商品コードから、VLOOKUPを使ってB、C列に商品名と単価を拾ってきて、単価と個数をかけて小計を求めるという表です。

| C2 | ∨ | : | × | ✓ | *fx* | =VLOOKUP(A2,$G$2:$I$6,3,) |

| | A | B | C | D | E | F | G | H | I |
|---|---|---|---|---|---|---|---|---|---|
| 1 | 商品コード | 商品名 | 単価 | 個数 | 小計 | | 商品コード | 商品名 | 単価 |
| 2 | A-02 | にんじん | 120 | 2 | 240 | | A-01 | はくさい | 290 |
| 3 | | #N/A | #N/A | | #N/A | | A-02 | にんじん | 120 |
| 4 | | #N/A | #N/A | | #N/A | | A-03 | 玉ねぎ | 90 |
| 5 | | #N/A | #N/A | | #N/A | | A-04 | キャベツ | 100 |
| 6 | | #N/A | #N/A | | #N/A | | A-05 | トマト | 80 |
| 7 | | #N/A | #N/A | | #N/A | | | | |
| 8 | | #N/A | #N/A | | #N/A | | | | |
| 9 | | #N/A | #N/A | | #N/A | | | | |
| 10 | | | | | | | | | |

商品コードが入力されていないので、3行目以降はB、C列がすべてエラーになっています。E列もこれに引きずられてエラーになっています。

B列とC列にIFERROR関数を使って、エラーの場合は空白になるように修正しましょう。こんな感じです。

| B2 | | | ✕ ✓ fx | =IFERROR(VLOOKUP(A2,$G$2:$I$6,2,),"") | | | | |

| | A | B | C | D | E | F | G | H | I |
|---|---|---|---|---|---|---|---|---|---|
| 1 | 商品コード | 商品名 | 単価 | 個数 | 小計 | | 商品コード | 商品名 | 単価 |
| 2 | A-02 | にんじん | 120 | 2 | 240 | | A-01 | はくさい | 290 |
| 3 | | | | | #VALUE! | | A-02 | にんじん | 120 |
| 4 | | | | | #VALUE! | | A-03 | 玉ねぎ | 90 |
| 5 | | | | | #VALUE! | | A-04 | キャベツ | 100 |
| 6 | | | | | #VALUE! | | A-05 | トマト | 80 |
| 7 | | | | | #VALUE! | | | | |
| 8 | | | | | #VALUE! | | | | |
| 9 | | | | | #VALUE! | | | | |

小計の部分にエラーが出ている

　ここまできて、まだ小計の部分がエラーになっています。これは、IFERRORで指定した値「""」が**空白の文字列**だからです。空白だけど、文字列として扱われるので、演算ができずにエラーとなっています。これもIFERROR関数を使って表示されないように修正しましょう。

| E2 | | | ✕ ✓ fx | =IFERROR(C2*D2,"") | | | | |

| | A | B | C | D | E | F | G | H | I |
|---|---|---|---|---|---|---|---|---|---|
| 1 | 商品コード | 商品名 | 単価 | 個数 | 小計 | | 商品コード | 商品名 | 単価 |
| 2 | A-02 | にんじん | 120 | 2 | 240 | | A-01 | はくさい | 290 |
| 3 | | | | | | | A-02 | にんじん | 120 |
| 4 | | | | | | | A-03 | 玉ねぎ | 90 |
| 5 | | | | | | | A-04 | キャベツ | 100 |
| 6 | | | | | | | A-05 | トマト | 80 |
| 7 | | | | | | | | | |
| 8 | | | | | | | | | |
| 9 | | | | | | | | | |

エラーが出ないようになった

　こんなふうに、間違った状態ではないけど、Excelの処理的にはエラーになってしまうということもよくあります。そんなときはエラーが表示されないようにしてみましょう。それだけで断然使いやすいシートになりますよ。

　ところで、初めに「覚えなくていい！」と言いましたが、エラー値の種

類を一度見ておいてください。覚えなくてもいいのですが、「一度見たことがある」ことが大事なんです。脳の片隅に置いておき、必要なときに「あーそういえばエラー値っていろんな種類があったな。調べてみよう」ってなればいいんですから。

| エラー値 | 意味 |
|---|---|
| #NULL! | NULL intersection<br>「指定した2つのセル範囲に共通部分がないよ」<br>例)=SUM(A1:A3 B1:B3)　※列が異なっている |
| #DIV/0! | DIVided by 0<br>「0で割ってるよ」「分母が空白だよ」<br>例)=A1/B1　※B1セルが「0」or空白 |
| #VALUE! | Wrong type VALUE<br>「引数の種類がおかしいよ」<br>例)=A1+A2　※A1セルが「100」、A2セルが「a」 |
| #REF! | A REFerence to a cell that does not exist?<br>「セルが参照できないよ」<br>例)=A1/A2　※A1セル「2」、A2セル「1」でA2セルを削除 |
| #NAME? | Unrecognized NAME<br>「名前、それで合ってる?」<br>例)=SAM(A1:A5)　※SUMが正解 |
| #NUM! | An invalid NUMber<br>「その数、大き(小さ)すぎ!」「その数、変!」<br>例)=10^1000　※大きすぎ |
| #N/A | No Assign<br>「関数や数式に使用できる値がないよ」<br>例)=VLOOKUP(A1,…)　※A1セルが空白 |

　他にも「#GETTING_DATA」「#SPILL!」「#FIELD!」「#CALC!」などがあります。

# Ch 4-13

関数

# FIND／LEFT関数

組み合わせて使ってみましょう。よく出てくるのは、住所から都道府県だけ抜き出す方法です。都道府県って、ほとんどが東京都、千葉県など3文字ですが、神奈川県や鹿児島県など、4文字の県もあります。とてもいい教材です。

## 都道府県名を抜き出す

まずは簡単にLEFT関数を使って、文字の抜き出しをやってみます。LEFT関数の構文はこうです。

**指定した分だけ文字列の左側の部分を抜き出す**

## =LEFT（文字列, [文字数]）

まずは次のようなリストを用意しましょう。A列に、都道府県と市区町村までの住所が並んでいて、B列に都道府県名を抜き出します。都道府県名は「県」を含めてたいてい3文字なので、とりあえずB2セルに「=LEFT(A2,3)」と入力します。下の行にはオートフィルで自動入力しましょう。すると、どうでしょうか？ 当たり前ですが、神奈川県だけ「神奈川」となっていますね。

| ▲ | A | B |
|---|---|---|
| 1 | **住所** | **=LEFT(A2,3)** |
| 2 | 茨城県水戸市 | 茨城県 |
| 3 | 栃木県宇都宮市 | 栃木県 |
| 4 | 群馬県前橋市 | 群馬県 |
| 5 | 埼玉県さいたま市 | 埼玉県 |
| 6 | 千葉県千葉市 | 千葉県 |
| 7 | 東京都新宿区 | 東京都 |
| 8 | 神奈川県横浜市 | **神奈川** |

都道府県名だけ抜き出すが、
「神奈川」となってしまう

こんなときに便利な関数があります。それが**FIND**関数です。FIND関数の構文はこうです。

**探したい文字列が、指定した文字列の左から何番目にあるかを返す**

# =FIND（検索文字列, 対象, [開始位置]）

FIND関数を使って「県」という文字が何文字目かを調べれば、LEFT関数に教えてあげられますね。この組み合わせで県名を抜き出す表を書き換えてみましょう。

| | A | B | C |
|---|---|---|---|
| 1 | 住所 | =FIND("県",A2) | =LEFT(A2,B2) |
| 2 | 茨城県水戸市 | 3 | 茨城県 |
| 3 | 栃木県宇都宮市 | 3 | 栃木県 |
| 4 | 群馬県前橋市 | 3 | 群馬県 |
| 5 | 埼玉県さいたま市 | 3 | 埼玉県 |
| 6 | 千葉県千葉市 | 3 | 千葉県 |
| 7 | 東京都新宿区 | #VALUE! | #VALUE! |
| 8 | 神奈川県横浜市 | 4 | 神奈川県 |
| 9 | | | |

FINDを使う

まずB列、FIND関数で見つけた「県」という文字の位置を表示しています。関数内で文字列を扱うときは「"（ダブルクオーテーション）」で囲む、でしたね。

そして、C列でLEFT関数を使い、その位置を参照します。県は対応できるようになりましたが、東京都には「県」が含まれないのでエラーになっています。

## 「県」以外に対処する

「ダメじゃないか」と思うかもしれませんが、焦ってはいけません。なんと都合のいいことに、「県」がつかない「東京都」「北海道」「京都府」「大阪府」はどれも３文字なのです😊　なので、エラーの場合はLEFT関数を３文字固定で使うことにしましょう。

Chapter4-12で説明した、IFERROR関数を使って直しましょう。

| | A | B | C |
|---|---|---|---|
| 1 | 住所 | FINDとLEFT | =IFERROR(B2,LEFT(A2,3)) |
| 2 | 茨城県水戸市 | 茨城県 | 茨城県 |
| 3 | 栃木県宇都宮市 | 栃木県 | 栃木県 |
| 4 | 群馬県前橋市 | 群馬県 | 群馬県 |
| 5 | 埼玉県さいたま市 | 埼玉県 | 埼玉県 |
| 6 | 千葉県千葉市 | 千葉県 | 千葉県 |
| 7 | 東京都新宿区 | #VALUE! | 東京都 |
| 8 | 神奈川県横浜市 | 神奈川県 | 神奈川県 |
| 9 | | | |

IFERRORも使う

　B列では、FIND関数の部分をLEFTの2番目の引数に直接書き込んでいます。そして、B列がエラーだった場合の処理をC列に「=IFERROR(B2,LEFT(A2,3))」と入力します。これですべての場合に対応できるようになりました。FIND関数とLEFT関数は、組み合わせて使うと便利ですね。

## 市区町村を抜き出す

　では、今度は市区町村部分を抜き出してみましょう。都道府県名は文字列の左側でしたが、市区町村名は文字列の右側です。その右側を抜き出すのがズバリ**RIGHT関数**です。そのまんまですね😋

　RIGHT関数の構文はこうです。

### 指定した分だけ文字列の右側の部分を抜き出す

## =RIGHT（文字列, [文字数]）

　RIGHT関数を使う場合は、右側の抜き出す文字の文字数を知らないといけません。FIND関数は左からの文字数を教えてくれたので、LEFT関数にそのまま使えましたが、今回はそうはいきません。

　そこで、文字列の長さを返す**LEN関数**とFIND関数を組み合わせて使ってみましょう。

187

まず、LEN関数の構文はこうです。

**文字列の文字数を返す**

# =LEN（文字列）

LEN関数は文字列全体の長さを教えてくれます。これとFIND関数を組み合わせて、右側の文字数を計算します。具体的に「神奈川県横浜市」を例にとって、見てみましょう。

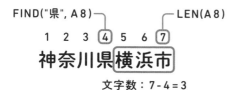

FIND関数で「県」が左から何番目にあるかがわかるので、LEN関数で求めた長さから、FIND関数で求めた数値を引けばいいわけですね。

ちなみに、東京都のような「県」が含まれない場合は、先ほどと同じようにFIND関数の部分を3にすればいいですね。

| | A | B | C |
|---|---|---|---|
| 1 | 住所 | =RIGHT(A2,LEN(A2)-FIND("県",A2)) | =IFERROR($B2,RIGHT(A2,LEN(A2)-3)) |
| 2 | 茨城県水戸市 | 水戸市 | 水戸市 |
| 3 | 栃木県宇都宮市 | 宇都宮市 | 宇都宮市 |
| 4 | 群馬県前橋市 | 前橋市 | 前橋市 |
| 5 | 埼玉県さいたま市 | さいたま市 | さいたま市 |
| 6 | 千葉県千葉市 | 千葉市 | 千葉市 |
| 7 | 東京都新宿区 | #VALUE! | 新宿区 |
| 8 | 神奈川県横浜市 | 横浜市 | 横浜市 |

LENまで組み合わせる

## 市区町村の名前部分だけを抜き出す

では最後に、市の名前だけ抜き出したい場合はどうでしょうか？RIGHT関数を使うとどうしても「市」まで含まれてしまいます。この場合はMID関数を使います。

MID関数の構文はこうです。

## 指定した位置から指定した文字数分だけ文字列を抜き取る

# =MID（文字列,開始位置,文字数）

LEFTもRIGHTも文字列の端が含まれてしまいますが、MID関数なら文字列の好きな部分を抜き出せます。「神奈川県横浜市」で考えてみましょう。

```
開始位置
FIND("県", A8)+1 ──┐          ┌──LEN(A8)
        1  2  3  ⑤  6  ⑦
      神奈川県横浜市
        文字数：7 - 4 - 1 = 2
```

抜き出し始めは「県」の次の文字なので「FIND("県",A8)+1」です。文字の長さは全体から県名を除いた分ですが、「市」は含まないのでさらに1を引いて「LEN(A8)-FIND("県",A8)-1」とすればいいですね。

実際にこれを入力すると、こうなります。

| | A | B | C |
|---|---|---|---|
| 1 | 住所 | =MID(A2,FIND("県",A2)+1,LEN(A2)-FIND("県",A2)-1) | =IFERROR($B2,MID(A2,4,LEN(A2)-4)) |
| 2 | 茨城県水戸市 | 水戸 | 水戸 |
| 3 | 栃木県宇都宮市 | 宇都宮 | 宇都宮 |
| 4 | 群馬県前橋市 | 前橋 | 前橋 |
| 5 | 埼玉県さいたま市 | さいたま | さいたま |
| 6 | 千葉県千葉市 | 千葉 | 千葉 |
| 7 | 東京都新宿区 | #VALUE! | 新宿 |
| 8 | 神奈川県横浜市 | 横浜 | 横浜 |
| 9 | | | |

MIDまで組み合わせる

東京都のようにエラーになってしまう場合は、IFERRORで対応します。

開始位置や文字数など、頭の中だけで考えるとこんがらがってしまうことがよくあります。そんなときは、上で見たような感じで、実際の文字に数字を振って、具体的に考えてみるのがおすすめです。

# MAX／MIN関数

MAX／MIN関数は、最大・最小値を返す関数です。

最大・最小値を求めるような場面では、合計や平均なんかも求めたりすることが多いですよね。そんな、一緒によく使う関数をまとめて見てみましょう。「合計／平均値／中央値／最大値／最小値を求めたい！」ってときの関数がこちら。

| | A | B | C | D | E | F |
|---|---|---|---|---|---|---|
| 1 | | | | | | |
| 2 | 山田 | 1 | | 110 | =**SUM**(B2:B6) | 合計 |
| 3 | 田中 | 2 | | 22 | =**AVERAGE**(B2:B6) | 平均値 |
| 4 | 鈴木 | 3 | | 3 | =**MEDIAN**(B2:B6) | 中央値 |
| 5 | 木村 | 4 | | 100 | =**MAX**(B2:B6) | 最大値 |
| 6 | 佐藤 | 100 | | 1 | =**MIN**(B2:B6) | 最小値 |
| 7 | | | | | | |

数値の意味とか考えなくていいですからね。超適当な数値ですから。ちまたのExcel本ではテストの成績や商品の売り上げが例として使われることが多いですが、あなたが学校の教師や企業の営業担当だとは限りません。思いっきり簡略化したこの画像で、関数の使い方を理解してください。それさえできれば、あなたが知りたい数値を自分で導き出せるはずです。

## 範囲を参照する関数

先ほどの表をよく見てください。いずれも、

## =関数名(範囲)

となっています。求めたい関数名を入れて、「( )」の中に範囲を入れるだけです。

「いや、範囲に『欠席』も含まれるけどいいのかなあ？」←確かにこれ、ちょっと気になりますよね。でもこれ、実は範囲を参照する関数の強みだったりします。下の画像を見てください。

| | A | B | C | D |
|---|---|---|---|---|
| 1 | 1 | | #VALUE! | =A1+A2+A3+A4 |
| 2 | に | | 5 | =SUM(A1:A4) |
| 3 | 三 | | | |
| 4 | 4 | | | |
| 5 | | | | |

単純に足そうとしたらエラーになった

単純に演算記号を使って足そうとすると、A2やA3には文字列が含まれるのでエラーになります。それに対して、範囲を参照しているSUM関数では、この2つを無視して、A1とA4だけの数値を足した数値を返しています。

Excelさんはこの辺りとても気を利かせてくれて、できる範囲で合計値を出してくれるんですね。

---

**指定範囲内の最大値を返す**

=MAX(範囲)

**指定範囲内の最小値を返す**

=MIN(範囲)

**平均値を返す**

=AVERAGE(範囲)

**中央値を返す**

=MEDIAN(範囲)

---

# DATEDIF関数

## 生年月日から年齢を出したいとき、

| Excel初心者 | まず今年の年と誕生日の年の差を計算して……あ、日付がまだだから1引いて…… |

| Excelできる人 | そんなときはDATEDIF関数！ |

　誕生日から年齢を計算するときのように、2つの日付の期間の長さを求めるには、**DATEDIF**関数を使います。

# =DATEDIF(開始日, 終了日, 単位)

| | A | B | C | D | E | F | G |
|---|---|---|---|---|---|---|---|
| 1 | No | 名前 | 生年月日 | 年齢 | | | |
| 2 | 1 | 佐藤 | 1984/1/1 | 39 | | 今日の日付 | |
| 3 | 2 | 山田 | 1989/4/1 | 33 | | 2023/4/1 | |
| 4 | 3 | 田中 | 1994/4/30 | 28 | | | |
| 5 | 4 | 鈴木 | 1999/5/5 | 23 | | | |
| 6 | 5 | 加藤 | 2000/10/12 | 22 | | | |
| 7 | 6 | 藤田 | 2000/10/13 | 22 | | | |
| 8 | | | | | | | |

　表のように、シンプルに、差を求めたい日付を1、2番目の引数に指定するだけです。ただし、開始日より終了日の方が古いと、エラーになるので気をつけましょう。また、3番目の引数の「単位」には、日単位、月単位、年単位のどれで計算したいのかを、次の文字列で指定します。

| 単位 | "Y" | "M" | "D" |
|---|---|---|---|
| 戻り値 | 期間の年数 | 期間の月数 | 期間の日数 |

　今回は年齢を求めるので「"Y"」と指定します。ここに指定するのは文字列なので、単純に「Y」だとエラーになるので気をつけてください。

# ROW／COLUMN関数

表に対して連番を振るには**オートフィル**を使うのが便利です。しかし、オートフィルで入力した値は、行を削除すると連番が崩れてしまいます。

| | A | B | C | D |
|---|---|---|---|---|
| 1 | No. | 年齢 | 性別 | 血液型 |
| 2 | 1 | 53 | 男 | B |
| 3 | 2 | 31 | 男 | A |
| 4 | 3 | 41 | 男 | B |
| 5 | 4 | 28 | 女 | AB |
| 6 | 5 | 29 | 男 | B |
| 7 | 6 | 18 | 男 | A |
| 8 | 7 | 30 | 女 | B |
| 9 | 8 | 64 | 女 | B |
| 10 | 9 | 29 | 女 | AB |
| 11 | 10 | 19 | 女 | A |

| | A | B | C | D |
|---|---|---|---|---|
| 1 | No. | 年齢 | 性別 | 血液型 |
| 2 | 1 | 53 | 男 | B |
| 3 | 2 | 31 | 男 | A |
| 4 | 3 | 41 | 男 | B |
| 5 | 4 | 29 | 男 | B |
| 6 | 5 | 18 | 男 | A |
| 7 | 6 | 30 | 女 | B |
| 8 | 7 | 64 | 女 | B |
| 9 | 8 | 29 | 女 | AB |
| 10 | 9 | 19 | 女 | A |
| 11 | | | | |

5行目を削除した

また、「フィルター」などを使ってデータの並べ替えなどを行うと、番号も一緒に移動してしまいます。もちろんこの番号を使って元の並び順に戻したいなどの理由があればいいのです。でも、単純にこのデータが上から何番目にあるかを示しているだけの場合は、データが入れ替わるたびに連番を振り直す必要があります。

## 番号が移動しない連番

データが移動しても連番の位置を変えたくない場合には、**ROW関数**や**COLUMN関数**を使うと便利です。この2つの関数の構文はこうです。

**セルの行番号を返す**　　**セルの列番号を返す**

# =ROW()　　　　=COLUMN()

どちらも引数はありません。

先ほどの表の連番を、ROW関数を使って書き換えてみましょう。

まず、A2セルに「=ROW()-1」と入力します。単に「=ROW()」とすると、「2」と表示されてしまうので、1つずらすために1を引いています。これを表の下までコピーすれば、連番を振ることができます。

この状態でフィルターを使って年齢の昇順で並び替えても、連番の順番は変わっていません。

| | A | B | C | D |
|---|---|---|---|---|
| 1 | No. | 年齢 | 性別 | 血液型 |
| 2 | =ROW()-1 | | 男 | B |
| 3 | 2 | 31 | 男 | A |
| 4 | 3 | 41 | 男 | B |
| 5 | 4 | 28 | 女 | AB |
| 6 | 5 | 29 | 男 | B |
| 7 | 6 | 18 | 男 | A |
| 8 | 7 | 30 | 女 | B |
| 9 | 8 | 64 | 女 | B |
| 10 | 9 | 29 | 女 | AB |
| 11 | 10 | 19 | 女 | A |

| | A | B | C | D |
|---|---|---|---|---|
| 1 | No. | 年齢 | 性別 | 血液型 |
| 2 | 1 | 18 | 男 | A |
| 3 | 2 | 19 | 女 | A |
| 4 | 3 | 28 | 女 | AB |
| 5 | 4 | 29 | 男 | B |
| 6 | 5 | 29 | 女 | AB |
| 7 | 6 | 30 | 女 | B |
| 8 | 7 | 31 | 男 | A |
| 9 | 8 | 41 | 男 | B |
| 10 | 9 | 53 | 男 | B |
| 11 | 10 | 64 | 女 | B |

今回は縦方向の連番だったのでROW関数を使用しました。

**VLOOKUP関数**などで列を指定することがありますよね。何列目か知りたいときはCOLUMN関数を使いましょう。

ところで「どっちが行？ 列？ 行がROW？ 列がCOLUMN？」ってこんがらがりません？ たとえば私はこんな連想で覚えています。左でも右でもどちらも覚えやすくないですか？😋

ROW→アロー→矢（横）
COLUMN→コラム→柱（縦）

# Chapter 5

## 超大事！
## 「データベース」

# データベースとは？

Chapter4まで**Excel**の基本、**ショートカット**、**機能**、**関数**と紹介してきました。普通のExcel本なら、この辺りでテーブルやグラフ、関数の組み合わせなどの話が出てくることが多いです。しかし、この本ではあえて、重要なデータベースを先に解説します。

**データベース**とは「集計しやすいように整っているデータの集まり」のことです。

このデータベースを作る際に大事になってくるのが、**データ入力の統一ルール**です。以前、総務省の統計局が示した、データ入力の統一ルールについてのツイートがバズりました。

 Excel医@デザイン勉強中『Excel最速仕事術』著者
@Excel_design_Dr                                    …

【データ入力】に関する、全国民が見るべき資料です。
見て欲しすぎて、まとめときました。
Excelできなくてもいいので、お願いだからこれ見てその通りにして。
これさえ守ってくれれば、Excel上手な人が何とでもしてくれます。

soumu.go.jp/main_content/0...

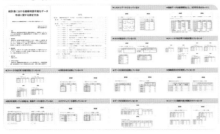

午前7:15 · 2021年5月12日

**1.1万** 件のリツイート　　**455** 件の引用ツイート　　**3.6万** 件のいいね

総務省資料より
https://www.soumu.go.jp/
menu_news/s-news/
01toukatsu01_02000186.html

これは国の各省庁がネット上に統計情報を公開する際に、コンピューターですぐに使えるデータにするためのチェック項目です。せっかく公開された情報も、使えなければ全く意味がありませんからね。

たくさんのチェック項目が掲載されていますが、中でも気をつけたいポイントをピックアップして紹介します。具体的な操作はChapter 5-2で説明します。

## 1セル1データか？　文字列を含んでいないか？

まず次の2つ。なにがダメかわかりますか？

| | 全国 |
|---|---|
| 仕入額 | 526（令和元年度）、678（令和2年度）、357（令和3年度）、245（令和4年度） |
| 出荷額 | 455（令和元年度）、945（令和2年度）、349（令和3年度）、345（令和4年度） |

| | 単価 | 前回差分 | 生産台数 |
|---|---|---|---|
| サンプル1 | 10,000円 | 130 | 12,000 |
| サンプル2 | 9,100円 | ▲200 | 29,000 |
| サンプル3 | 8,020円 | ▲350 | 37,000 |
| サンプル4 | 7,500円 | 500 | 43,000 |
| SUM関数 | 0 | 630 | 0 |
| +（加算演算） | #VALUE! | #VALUE! | 121000 |

*ダメなテーブルの例*

　左の例では、1つのセルに複数のデータが含まれていて、データが文字列になっています。右の例も、データに「円」や「▲」といった文字列が含まれていて、データ自体が文字列となっています。そのため、右の表ではSUM関数の結果や足し算の結果がおかしくなっています。

　正しく入力したテーブルはこちらです。

| | 全国の仕入額 | 全国の出荷額 |
|---|---|---|
| 令和元年度 | 526 | 455 |
| 令和2年度 | 678 | 945 |
| 令和3年度 | 357 | 349 |
| 令和4年度 | 245 | 345 |

| | 単価 | 前回差分 | 生産台数 |
|---|---|---|---|
| サンプル1 | 10000 | 130 | 12000 |
| サンプル2 | 9100 | -200 | 29000 |
| サンプル3 | 8020 | -350 | 37000 |
| サンプル4 | 7500 | 500 | 43000 |
| SUM関数 | 34620 | 80 | 121000 |
| +（加算演算） | 34620 | 80 | 121000 |

*正しく入力したテーブルの例*

　右の表の計算結果も正しく出ています。
　「いや『1セル1データ』がいいのはわかるけど、普段扱ってるデータが『1セル複数データ』だから困ってるんだよ！」←わかります。そうですよね。そんなときは、Chapter 5-2で説明する「区切り位置」を使いましょう。

## セルの結合をしていないか

「**セル結合ダメ！**」←これ、ネットやSNSではめちゃくちゃよく話題になります。ですが、私はリアルで言われたことも言ったこともありません。おそらくExcelができる人は内心「やめてくれ〜」って思っていることでしょう。

たとえばこんな感じです。

| 市区町村 | 生産本数 |
|---|---|
| ちよだく<br>千代田区 | 58406 |
| ちゅうおうく<br>中央区 | 141183 |
| みなとく<br>港区 | 243283 |

| 市区町村 | ふりがな | 生産本数 |
|---|---|---|
| 千代田区 | ちよだく | 58406 |
| 中央区 | ちゅうおうく | 141183 |
| 港区 | みなとく | 243283 |

セル結合のよい例と悪い例

左は【市区町村】と【ふりがな】を上下に並べ、【生産本数】が1つのセルに結合されています。こうすると、「ちよだく」「58406」のセットなのか「千代田区」「58406」のセットなのか、対応関係が不明確となり、読み取りに支障が出てきます。正しく入力するには、右のように【ふりがな】の列を作り、1行のデータにしましょう。

## スペースや改行等で体裁を整えていないか

見た目を整えるためにスペースを入れて「　A」としたり、「鎮静剤」と「A-1」の間に改行を入れたりすると、「A」や「鎮静剤A-1」とは別のデータになってしまいます。つまり、「鎮静剤A-1」と検索しても見つからないのです。

| 分類 | 総数 | 事業所数 | 企業数 |
|---|---|---|---|
| 合計 | 900 | 450 | 450 |
| A | 200 | 100 | 100 |
| B | 300 | 150 | 150 |
| C | 400 | 200 | 200 |

| 分類 | 総数 | 事業所数 | 企業数 |
|---|---|---|---|
| 合計 | 900 | 450 | 450 |
| A | 200 | 100 | 100 |
| B | 300 | 150 | 150 |
| C | 400 | 200 | 200 |

| 薬剤名 | 出荷本数 | 単価 |
|---|---|---|
| 鎮静剤A-1 | 429 | 756 |
| 鎮静剤A-2 | 321 | 648 |
| 鎮静剤A-3 | 384 | 438 |
| 鎮静剤A-4 | 408 | 775 |

| 薬剤名 | 出荷本数 | 単価 |
|---|---|---|
| 鎮静剤A-1 | 429 | 756 |
| 鎮静剤A-2 | 321 | 648 |
| 鎮静剤A-3 | 384 | 438 |
| 鎮静剤A-4 | 408 | 775 |

スペースや改行で体裁を整える　よい例・悪い例

「はいはい、スペースと改行ね。確かにダメだよね。でも扱ってるデータが……」←そんなときは置換しましょう。

## 項目名等を省略していないか

　これも似たような問題です。同じ単語を何度も繰り返すのって、確かに気になりますよね。気持ちはよくわかります。でも、使うときのことを考えると全くの逆効果なのです。

| 薬剤名 | 出荷本数 | 在庫本数 |
|---|---|---|
| 鎮静剤A-1 | 429 | 756 |
| 2 | 321 | 648 |
| 3 | 384 | 438 |
| 4 | 408 | 775 |

| 薬剤名 | 出荷本数 | 在庫本数 |
|---|---|---|
| 鎮静剤A-1 | 429 | 756 |
| 鎮静剤A-2 | 321 | 648 |
| 鎮静剤A-3 | 384 | 438 |
| 鎮静剤A-4 | 408 | 775 |

項目名等の省略のよい例・悪い例

【鎮静剤A-1】以降はすべて番号の部分しか記載されていません。2とか3といった数字だけでは何のことかわかりませんし、実際の数値データと区別がつきません。

　こんなときのための**オートフィル**です。オートフィルの詳しい話はChapter3-7で紹介しましたが、改めて説明しましょう。「鎮静剤A-1」のセルにカーソルを移動して、右下の■を下にドラッグしてみてください。ほら、連続データになりましたよね。誰も「鎮静剤A-2」「鎮静剤A-3」ってすべて手で入力しろって言っているわけではないですからね😬

## その他の事項

　総務省が示したルールには、今回紹介した項目も含めて、こんな注意事項が記載されています（省庁向けの独自ルールもあるので、そういったものは除外しています）。

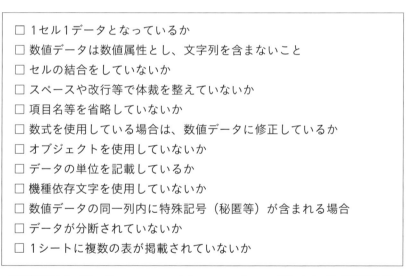

- □ 1セル1データとなっているか
- □ 数値データは数値属性とし、文字列を含まないこと
- □ セルの結合をしていないか
- □ スペースや改行等で体裁を整えていないか
- □ 項目名等を省略していないか
- □ 数式を使用している場合は、数値データに修正しているか
- □ オブジェクトを使用していないか
- □ データの単位を記載しているか
- □ 機種依存文字を使用していないか
- □ 数値データの同一列内に特殊記号（秘匿等）が含まれる場合
- □ データが分断されていないか
- □ 1シートに複数の表が掲載されていないか

総務省資料より　https://www.soumu.go.jp/menu_news/s-news/01toukatsu01_02000186.html

　この一覧は、Googleなどの検索サイトで「総務省　データ　統一ルール」と検索すると、トップに出てきます。具体的な例を交えて「こういうふうに入力しましょう」と紹介されているので、ぜひ読んでみてください。どんな考え方に基づいて作られているのか、自分なりに考えてみるのもいいと思います。

# データベースを作るには？

　データベースが大事なのは、それは**Excelの正しい使い方**に関係するからです。

　Excelの作業は大きく分けて「**入力**」「**加工**」「**出力**」の3つに分けられます。今まで紹介してきたExcelの機能や関数は、元データがちゃんとしたデータベース形式になっていることが大前提になっています。

　つまり、Chapter5-1で説明した入力ルールにそって整っているデータということです。

## サンプルデータの功罪

　Excel本にはサンプルデータがついてくることがあります。読者はサンプルデータをダウンロードして書籍に書いてある通りにExcelの操作をすると、計算結果やグラフ作成ができるわけです。

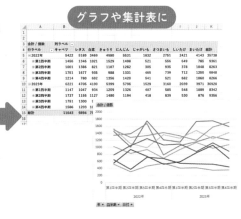

「よし、Excel使えるようになった！　職場のExcelで活用するぞ！」って
ことで、職場にあるExcelファイルを開きます。するとどうでしょう。サン
プルデータと比べるとデータがぐちゃぐちゃで、使えるようになったはず
のExcelの機能も関数もグラフ作成もうまくいきません。

「あれ、Excel本に書いてある通りにできないなあ」←当然です。なぜなら
サンプルデータは集計や加工に最適なデータベース形式になっていて、職
場のExcelはデータベース形式になっていないからです。

| | A | B | C | D | E | F | G | H | I |
|---|---|---|---|---|---|---|---|---|---|
| 1 | | | A-01 | キャベツ | 128円 | 44 | | | |
| 2 | 1 | 2022/1/1 | A-02 | レタス | 105円 20%OFF | 47 | 新宿 | | |
| 3 | | | A-03 | 白菜（ハーフ） | 150 | 27 | | | |
| 4 | 2 | 2022/1/2 | B-01 | きゅうり | 55 | 42本 | 八王子 | | |
| 5 | | | | | | 46束 | 渋谷 | | |
| 6 | | | B-02 | にんじん（有機栽培） | 78 | 51 | 八王子 | | ←商品要注意 |
| 7 | 3 | 1月3日 | A-02 | レタス | 132 | 42玉 | 新宿 | | |
| 8 | | | C-01 | じゃがいも | 68円 | 19袋 | 秋葉原 | | |
| 9 | | | | ！　三が日終わり　！ | | | | | |
| 10 | 4 | 2022/1/4 | A-02 | レタス | 132 | 46 | 池袋 | | |
| 11 | | | B-01 | きゅうり | 55 | 45袋 | 秋葉原 | | |
| 12 | 5 | 2022/1/5 | 特注 | キャベツ（産地直送） | 111 | 48 | 池袋* | | |
| 13 | | | C-02 | さつまいも | 198 | 34 | 秋葉原 | | |
| 14 | | | | | | | | | |
| 15 | 6 | 2022/1/6 | | 定休日 | | | | | |
| 16 | | | | | | | | | |

**データベース形式になっていないデータ**

## 「データベース形式」とは

　データベースには、ルールがあります。データベース形式で入力するよ
うにしましょう。Chapter5-1からステップアップして、よりデータベース
に入れるという観点でみていきます。

❶ 先頭行に「見出し」を作る
❷ 1セル1データ
❸ 1行に1件のデータ
❹ セル結合しない
❺ 1列に1つのデータ型

## ❶ 先頭行に「見出し」を作る

　先頭行にはユニークな見出しを作りましょう。面白い見出しではありませんよ。「ユニーク（unique）：唯一の、固有の」という意味です。「No」「日付」「商品コード」「商品名」「価格」「個数」などです。どうしても同じ見出しをつけたいのなら、「○○_1」「○○_2」というふうにしましょう。

| | A | B | C | D | E | F | G |
|---|---|---|---|---|---|---|---|
| 1 | 1 | 2022/1/1 | A-01 | キャベツ | 128 | 44 | 新宿 |
| 2 | 2 | 2022/1/1 | A-02 | レタス | 132 | 47 | 新宿 |
| 3 | 3 | 2022/1/1 | A-03 | 白菜 | 150 | 27 | 新宿 |
| 4 | 4 | 2022/1/2 | B-01 | きゅうり | 55 | 42 | 八王子 |
| 5 | 5 | 2022/1/2 | B-01 | きゅうり | 55 | 46 | 渋谷 |
| 6 | 6 | 2022/1/3 | B-02 | にんじん | 78 | 51 | 八王子 |
| 7 | 7 | 2022/1/3 | A-02 | レタス | 132 | 42 | 新宿 |
| 8 | 8 | 2022/1/3 | C-01 | じゃがいも | 68 | 19 | 秋葉原 |
| 9 | 9 | 2022/1/4 | A-02 | レタス | 132 | 46 | 池袋 |
| 10 | 10 | 2022/1/5 | B-01 | きゅうり | 55 | 45 | 秋葉原 |
| 11 | 11 | 2022/1/5 | A-01 | キャベツ | 128 | 48 | 池袋 |
| 12 | 12 | 2022/1/5 | C-02 | さつまいも | 198 | 34 | 秋葉原 |
| 13 | 13 | 2022/1/6 | B-02 | にんじん | 78 | 56 | 八王子 |
| 14 | 14 | 2022/1/6 | A-01 | キャベツ | 128 | 39 | 新宿 |
| 15 | 15 | 2022/1/6 | C-02 | さつまいも | 198 | 28 | 渋谷 |
| 16 | 16 | 2022/1/6 | C-01 | じゃがいも | 68 | 23 | 八王子 |

| | A | B | C | D | E | F | G |
|---|---|---|---|---|---|---|---|
| 1 | No | 日付 | 商品コード | 商品名 | 価格 | 個数 | 店舗 |
| 2 | 1 | 2022/1/1 | A-01 | キャベツ | 128 | 44 | 新宿 |
| 3 | 2 | 2022/1/1 | A-02 | レタス | 132 | 47 | 新宿 |
| 4 | 3 | 2022/1/1 | A-03 | 白菜 | 150 | 27 | 新宿 |
| 5 | 4 | 2022/1/2 | B-01 | きゅうり | 55 | 42 | 八王子 |
| 6 | 5 | 2022/1/2 | B-01 | きゅうり | 55 | 46 | 渋谷 |
| 7 | 6 | 2022/1/3 | B-02 | にんじん | 78 | 51 | 八王子 |
| 8 | 7 | 2022/1/3 | A-02 | レタス | 132 | 42 | 新宿 |
| 9 | 8 | 2022/1/3 | C-01 | じゃがいも | 68 | 19 | 秋葉原 |
| 10 | 9 | 2022/1/4 | A-02 | レタス | 132 | 46 | 池袋 |
| 11 | 10 | 2022/1/5 | B-01 | きゅうり | 55 | 45 | 秋葉原 |
| 12 | 11 | 2022/1/5 | A-01 | キャベツ | 128 | 48 | 池袋 |
| 13 | 12 | 2022/1/5 | C-02 | さつまいも | 198 | 34 | 秋葉原 |
| 14 | 13 | 2022/1/6 | B-02 | にんじん | 78 | 56 | 八王子 |
| 15 | 14 | 2022/1/6 | A-01 | キャベツ | 128 | 39 | 新宿 |
| 16 | 15 | 2022/1/6 | C-02 | さつまいも | 198 | 28 | 渋谷 |

**見出しなし**　　　　　**見出しあり**

↑見出しがないと、いったい何のデータなのかがわかりません。

## ❷ 1セル1データ

　1つのセルには1つのデータだけを入力してください。1つのセルに複数のデータを詰め込んでしまうと、計算や並べ替えができません。

| | A | B | C |
|---|---|---|---|
| 1 | No | 日付 | 売上状況 |
| 2 | 1 | 2022/1/1 | キャベツ（A-01）：128円×44個＠新宿店、レタス（A-02）：132円×47個＠新宿店、白菜（A-03）：150円×27個＠新宿店 |
| 3 | 2 | 2022/1/2 | きゅうり（B-01）：55円×42個＠八王子店、きゅうり（B-01）：55円×46個＠渋谷店 |
| 4 | 3 | 2022/1/3 | にんじん（B-02）：78円×51個＠八王子店、レタス（A-02）：132円×42個＠新宿店、じゃがいも（C-01）：68円×19個＠秋葉原店 |
| 5 | 4 | 2022/1/4 | レタス（A-02）：132円×46個＠池袋店 |
| 6 | 5 | 2022/1/5 | きゅうり（B-01）：55円×45個＠池袋店、さつまいも（C-02）：198円×34個＠秋葉原店 |
| 7 | 6 | 2022/1/6 | にんじん（B-02）：78円×56個＠八王子店、キャベツ（A-01）：128円×39個＠新宿店、さつまいも（C-02）：198円×28個＠渋谷店、じゃがいも（C-01）：68円×23個＠八王子店 |
| 8 | 7 | 2022/1/7 | にんじん（B-02）：78円×56個＠秋葉原店、レタス（A-02）：132円×45個＠秋葉原店、白菜（A-03）：150円×27個＠新宿店、しいたけ（D-01）：98円×13個＠秋葉原店、じゃがいも（C- |

| | A | B | C | D | E | F | G |
|---|---|---|---|---|---|---|---|
| 1 | No | 日付 | 商品コード | 商品名 | 価格 | 個数 | 店舗 |
| 2 | 1 | 2022/1/1 | A-01 | キャベツ | 128 | 44 | 新宿 |
| 3 | 2 | 2022/1/1 | A-02 | レタス | 132 | 47 | 新宿 |
| 4 | 3 | 2022/1/1 | A-03 | 白菜 | 150 | 27 | 新宿 |
| 5 | 4 | 2022/1/2 | B-01 | きゅうり | 55 | 42 | 八王子 |
| 6 | 5 | 2022/1/2 | B-01 | きゅうり | 55 | 46 | 渋谷 |
| 7 | 6 | 2022/1/3 | B-02 | にんじん | 78 | 51 | 八王子 |
| 8 | 7 | 2022/1/3 | A-02 | レタス | 132 | 42 | 新宿 |
| 9 | 8 | 2022/1/3 | C-01 | じゃがいも | 68 | 19 | 秋葉原 |
| 10 | 9 | 2022/1/4 | A-02 | レタス | 132 | 46 | 池袋 |
| 11 | 10 | 2022/1/5 | B-01 | きゅうり | 55 | 45 | 秋葉原 |
| 12 | 11 | 2022/1/5 | A-01 | キャベツ | 128 | 48 | 池袋 |
| 13 | 12 | 2022/1/5 | C-02 | さつまいも | 198 | 34 | 秋葉原 |
| 14 | 13 | 2022/1/6 | B-02 | にんじん | 78 | 56 | 八王子 |
| 15 | 14 | 2022/1/6 | A-01 | キャベツ | 128 | 39 | 新宿 |
| 16 | 15 | 2022/1/6 | C-02 | さつまいも | 198 | 28 | 渋谷 |

**1セル複数データ**　　　　　**1セル1データ**

## ❸❹ 1行に1件のデータ・セル結合しない

出ました。何度でもいいます。諸悪の根源「**セル結合**」。「セル結合禁止！」と唱えましょう。

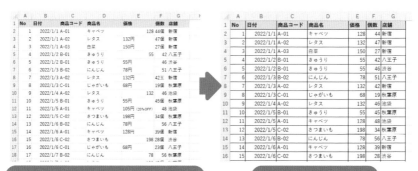

**セル結合 + 複数行で1件のデータ**

**1行に1件のデータ**

データは1行に1件が原則です。1件のデータを2行にわたってまとめてみたり、そのためにセル結合をしてみたりすると、Excelはデータを認識できなくなってしまいます。

## ❺ 1列に1つのデータ型

**1列に複数のデータ型（文字列、数値が混在）**

**1列に1つのデータ型**

データ型も重要です。数値、文字列、通貨など、いろいろなデータ型が混じったデータは混乱のもとです。関数で計算しようとしたときにエラーになったり、不正確な結果を返す原因にもなったりします。同じ列には同じデータ型としてくださいね。

なお、セル結合について、勘違いしないでほしいのは、すべてのセル結合がダメなわけではないということです。Microsoftさんも、必要だからセル結合の機能を付けているわけです。確かにセル結合すると見栄えはよくなりますからね。

「いや、てかそもそもセル結合ってどうやるの？」←結合したいセル範囲を選択し、［ホーム］タブ→［セルを結合して中央揃え］をクリックです。

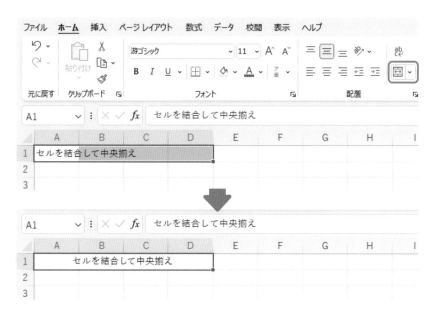

　ただし、セルを結合すると並び替えや集計ができなくなります。このことを理解してください。使い所を間違えると、後々面倒なことになりますから😣

「いや、自分はどうしてもセル結合したいんだ！」←そこまで言うなら止めません。ただ、**選択範囲の中央**という機能を知っておいてください。

　まず、セル結合と同じように、文字を中央に表示したいセル範囲を選択します。そして、右クリックすると表示されるメニューから、［**セルの書式設定**］をクリックしてウィンドウを開きます。

［配置］タブにある［横位置］の［選択範囲内で中央］を選択して［OK］を
クリックします。すると、選択したセル範囲内で文字が中央に表示されます。

　セル結合だと結合したセルが選択されますが、この場合はA1セルやB1
セルを選択できます。ちなみに、値自体は初めに入力したA1セルに入って
います。

「Chapter5-1のように、『データベース形式が大事』ってのはわかるんだ
けど、実際のExcelファイルがデータベース形式じゃないから困ってるんだ
よ！」←そうなんですよね。私もそうでしたから、その気持ちよくわかり
ます。Excelの機能には、元データをデータベース形式にする機能や関数が
あります。それらを使ってデータベース形式にする方法を紹介します。

# 方法1 区切り位置（[データ]タブ→[区切り位置] または Alt → A → E ）

1セルに複数のデータがある場合、多くは「，（コンマ）」「、（読点）」など
の記号によって区切られて入力されています。こういった目印となる記号
で区切られている場合は、[区切り位置] 機能で複数のセルに分割すること
ができます。

Chapter 5-1で取り上げたデータを元に考えてみましょう。

|  | 全国 |
| --- | --- |
| 仕入額 | 526（令和元年度）、678（令和2年度）、357（令和3年度）、245（令和4年度） |
| 出荷額 | 455（令和元年度）、945（令和2年度）、349（令和3年度）、345（令和4年度） |

複数データが入力されているセルを選択し、[データ] タブ→ [区切り位
置] をクリックします。

❶ [コンマやタブなどの区切り文字によってフィールドごとに区切られたデータ]
を選択し [次へ] をクリック

❷ [その他] にチェックを入れ、テキストボックスに「、（読点）」を入力し [次へ]
をクリック

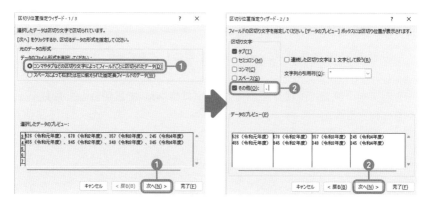

区切り位置指定

❸表示先を「=$E$6」とし、これで［完了］をクリック

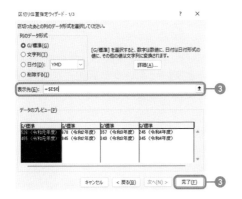

　年度ごとのデータにセルを分離できましたが、このままではまだ数値データとしては使用できません。

| | | | |
|---|---|---|---|
| 526（令和元年度） | 678（令和2年度） | 357（令和3年度） | 245（令和4年度） |
| 455（令和元年度） | 945（令和2年度） | 349（令和3年度） | 345（令和4年度） |

　FIND関数やLEFT関数、MID関数などを使えば、数値や年度などを単独のデータとして抜き出せます。

| | | | | |
|---|---|---|---|---|
| | 526（令和元年度） | 678（令和2年度） | 357（令和3年度） | 245（令和4年度） |
| | 455（令和元年度） | 945（令和2年度） | 349（令和3年度） | 345（令和4年度） |
| | | | | |
| | 令和元年 | 令和2年 | 令和3年 | 令和4年 |
| 仕入額 | 526 | 678 | 357 | 245 |
| 出荷額 | 455 | 945 | 349 | 345 |

　この辺りの設定方法は、Chapter4を参考にしてみてください。

　また、次の例では、読点ではなく「：（コロン）」で区切られた複数データを分割します。

「：（コロン）」で区切られた複数データを分割

❶ 分割したデータを入れるための列を挿入する

❷ 分割する列を選択し、「区切り位置」ウィンドウを開く

❸「区切り文字」の［タブ］をチェック

❹［その他］にチェックを入れて、区切る記号を入力（該当する記号がある場合は、それをチェックする）

❺［完了］をクリック

「既にデータがありますが、置き換えますか？」で［OK］をクリックします。

| | A | B | C | D | E | F | G |
|---|---|---|---|---|---|---|---|
| 1 | No | 日付 | 商品 | 商品コード | 価格 | 個数 | 店舗 |
| 2 | 1 | 2022/1/1 | キャベツ | A-01 | 128 | 44 | 新宿 |
| 3 | 2 | 2022/1/1 | レタス | A-02 | 132 | 47 | 新宿 |
| 4 | 3 | 2022/1/1 | 白菜 | A-03 | 150 | 27 | 新宿 |
| 5 | 4 | 2022/1/2 | きゅうり | B-01 | 55 | 42 | 八王子 |
| 6 | 5 | 2022/1/2 | きゅうり | B-01 | 55 | 46 | 渋谷 |
| 7 | 6 | 2022/1/3 | にんじん | B-02 | 78 | 51 | 八王子 |
| 8 | 7 | 2022/1/3 | レタス | A-02 | 132 | 42 | 新宿 |
| 9 | 8 | 2022/1/3 | じゃがいも | C-01 | 68 | 19 | 秋葉原 |
| 10 | 9 | 2022/1/4 | レタス | A-02 | 132 | 46 | 池袋 |
| 11 | 10 | 2022/1/5 | きゅうり | B-01 | 55 | 45 | 秋葉原 |
| 12 | 11 | 2022/1/5 | キャベツ | A-01 | 128 | 48 | 池袋 |
| 13 | 12 | 2022/1/5 | さつまいも | C-02 | 198 | 34 | 秋葉原 |

分割したもの

# 方法2 検索と置換（ Ctrl + H ）

　性別という項目に「男」「男性」「M」など異なる表記が混在している、なんてことありませんか？　私の職場では実際にありました👻　表記が異なる（表記ゆれがある）と、たとえ同じ意味でも別々に集計されてしまいます。そんなときは［検索と置換］機能で、データの値を統一しましょう。

　Ctrl ＋ H を押すと、「検索と置換」ウィンドウが開きます。これを使って「スペースの置換」と「改行の置換」をすれば、余計なスペースや改行を消し去ることができます。

　「検索と置換」ウィンドウの［検索する文字列］のテキストボックスに「 （スペース）」を入力します。［置換後の文字列］には何も入力しないでください。［すべて置換］をクリックすると、シート内のスペースがすべて無くなります。

　では、改行はどうでしょうか？　［検索する文字列］のテキストボックスで Enter を押してもダメです。この場合は、Ctrl ＋ J を押してください。押しても何も入力されていないように見えますが、そのまま［すべて置換］をクリックすると、改行が削除されます。

検索と置換

　ちなみにこの［すべて置換(A)]。Alt と A を一緒に押す（Alt ＋ A ）と、［すべて置換(A)]をクリックしたのと同じになります。これ、絶対気づかないですよね。

[検索と置換]でデータを統一していく例

# 方法3 表示形式（ Ctrl + 1 ）

価格に「100円」と打ち込んでいませんか？　「円」まで入力すると、文字列になってしまい計算できません。[表示形式]を設定して、「100」と入力すれば「100円」と表示されるようにしましょう。表示は「100円」ですが、数値の「100」として扱われます。

[表示形式]を設定

## 方法4 データ整形の関数（CLEAN関数、TRIM関数）

　データに改行が入っていたり、スペースが入っていると、データを正しく読み取れなかったり、表記ゆれのように正しくデータを区別することができなくなってしまったりします。そんなときは、CLEAN関数で改行を取り除き、TRIM関数で余計なスペースを削除しましょう。

**改行を削除**

# =CLEAN()

| | A | B |
|---|---|---|
| 1 | 改行を削除 | =CLEAN(A2) |
| 2 | 東京都<br>新宿区 | 東京都新宿区 |
| 3 | | |

**余計なスペースを削除**

# =TRIM()

| | A | B |
|---|---|---|
| 1 | 余計なスペースを削除 | =TRIM(A2) |
| 2 | 山田　　太郎 | 山田 太郎 |
| 3 | | |
| 4 | | |

## 方法5 テーブル化（ Ctrl + T ）

　データベース形式のデータを作成するのにおすすめなのが、[テーブル化]です。表の装飾に使用する人が少なくないようですが、テーブル化を使うと便利な機能が利用できるようになります。

　テーブル化の方法は簡単です。テーブル化したいデータの表上で Ctrl + T を押すと、「テーブルの作成」というウィンドウが表示されます。範囲を確認して［OK］ボタンをクリックします。このとき、先頭の行はデータの見出しにしておきましょう。

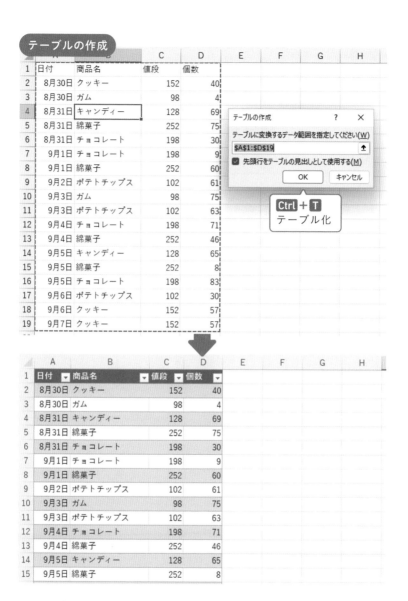

**テーブルの作成**

| 日付 | 商品名 | 値段 | 個数 |
|---|---|---|---|
| 8月30日 | クッキー | 152 | 40 |
| 8月30日 | ガム | 98 | 4 |
| 8月31日 | キャンディー | 128 | 69 |
| 8月31日 | 綿菓子 | 252 | 75 |
| 8月31日 | チョコレート | 198 | 30 |
| 9月1日 | チョコレート | 198 | 9 |
| 9月1日 | 綿菓子 | 252 | 60 |
| 9月2日 | ポテトチップス | 102 | 61 |
| 9月3日 | ガム | 98 | 75 |
| 9月3日 | ポテトチップス | 102 | 63 |
| 9月4日 | チョコレート | 198 | 71 |
| 9月4日 | 綿菓子 | 252 | 46 |
| 9月5日 | キャンディー | 128 | 65 |
| 9月5日 | 綿菓子 | 252 | 8 |
| 9月5日 | チョコレート | 198 | 83 |
| 9月6日 | ポテトチップス | 102 | 30 |
| 9月6日 | クッキー | 152 | 57 |
| 9月7日 | クッキー | 152 | 57 |

**テーブルの作成**

テーブルに変換するデータ範囲を指定してください(W)

$A$1:$D$19

☑ 先頭行をテーブルの見出しとして使用する(M)

OK　キャンセル

**Ctrl + T**
テーブル化

| 日付 ▼ | 商品名 ▼ | 値段 ▼ | 個数 ▼ |
|---|---|---|---|
| 8月30日 | クッキー | 152 | 40 |
| 8月30日 | ガム | 98 | 4 |
| 8月31日 | キャンディー | 128 | 69 |
| 8月31日 | 綿菓子 | 252 | 75 |
| 8月31日 | チョコレート | 198 | 30 |
| 9月1日 | チョコレート | 198 | 9 |
| 9月1日 | 綿菓子 | 252 | 60 |
| 9月2日 | ポテトチップス | 102 | 61 |
| 9月3日 | ガム | 98 | 75 |
| 9月3日 | ポテトチップス | 102 | 63 |
| 9月4日 | チョコレート | 198 | 71 |
| 9月4日 | 綿菓子 | 252 | 46 |
| 9月5日 | キャンディー | 128 | 65 |
| 9月5日 | 綿菓子 | 252 | 8 |

　テーブルのスタイルは［テーブルデザイン］タブ→［テーブルスタイル］から好きなものを選択して変更できます。テーブル化されたデータは、フィルター機能やソート機能が自動的に付けられます。

　さらにデータを一番下に追加すると、自動的にテーブルスタイルが適用されます。

| | | | | |
|---|---|---|---|---|
| 14 | 9月5日 | (...) | 128 | 65 |
| 15 | 9月5日 | 綿菓子 | 252 | 8 |
| 16 | 9月5日 | チョコレート | 198 | 83 |
| 17 | 9月6日 | ポテトチップス | 102 | 30 |
| 18 | 9月6日 | クッキー | 152 | 57 |
| 19 | 9月7日 | クッキー | 152 | 57 |
| 20 | 9月8日 | | | |
| 21 | | | | |

1番左の列に日付を入力
したら自動的にテーブル
スタイルが適用された

　また、データ列の追加も自動で対応します。次の例では、1行目の「個数」の隣に「小計」と入力すると、ヘッダーのスタイルが自動で適用されます。E2セルに「=」と入力し、C2セルを選択→「*」と入力→D2セルを選択してみてください。すると、「=[@値段]*[@個数]」と表示され、自動で下まで補完されます。

| | A | B | C | D | E |
|---|---|---|---|---|---|
| 1 | 日付 | 商品名 | 値段 | 個数 | 小計 |
| 2 | 8月30日 | クッキー | 152 | 40 | |
| 3 | 8月30日 | ガム | 98 | 4 | |
| 4 | 8月31日 | キャンディー | 128 | 69 | |
| 5 | 8月31日 | 綿菓子 | 252 | 75 | |
| 6 | 8月31日 | チョコレート | 198 | 30 | |
| 7 | 9月1日 | チョコレート | 198 | 9 | |
| 8 | 9月1日 | 綿菓子 | 252 | 60 | |
| 9 | 9月2日 | ポテトチップス | 102 | 61 | |
| 10 | 9月3日 | ガム | 98 | 75 | |

| C | D | E | F |
|---|---|---|---|
| 値段 | 個数 | 小計 | |
| 152 | 40 | =[@値段]*[@個数] | |
| 98 | 4 | | |
| 128 | 69 | | |
| 252 | 75 | | |
| 198 | 30 | | |
| 198 | 9 | | |
| 252 | 60 | | |
| 102 | 61 | | |
| 98 | 75 | | |

| C | D | E |
|---|---|---|
| 値段 | 個数 | 小計 |
| 152 | 40 | 6080 |
| 98 | 4 | 392 |
| 128 | 69 | 8832 |
| 252 | 75 | 18900 |
| 198 | 30 | 5940 |
| 198 | 9 | 1782 |
| 252 | 60 | 15120 |
| 102 | 61 | 6222 |
| 98 | 75 | 7350 |

　ここでセルに入力した式に注目してください。「=[@値段]*[@個数]」と書かれていますね。これは、構造化参照と呼ばれるもので、テーブル化されたデータを参照する方法です。この例の他にも、たとえば小計をすべて合計するのに「=SUM([@小計])」と入力して計算できます。データの見出しを使って参照できるので、先ほどのように後からデータを追加しても、その範囲まで自動的に対応してくれるのです。

# 方法6 フリガナを正しくする（PHONETIC関数）

　自分で入力した場合と、Webからコピペした場合、同じ「山田 太郎」でも別の値として認識されることがあります。Excelにとっては、「山田 太郎（ヤマダ タロウ）」と、「山田 太郎（※フリガナなし）」は別のデータなのです。別のデータということは、並べ替えや抽出がうまくいきません。こういうときは**PHONETIC関数**を使って、フリガナデータを確認しましょう。

　またはアイコンの「ア／亜」を押す、もしくは Alt ＋ Shift ＋ ↑ で、セルの漢字の上にフリガナが表示されます。もし正しいフリガナになっていなければ、そこで設定できます。

　以上をまとめると、フリガナの確認に使える方法は次の3つです。
❶**PHONETIC関数**
❷**アイコンの「ア／亜」**
❸ **Alt ＋ Shift ＋ ↑（ショートカット）**
　このようにいろいろな引き出しを持っておくことが、Excel作業においても人生においても大事なことです。

PHONETIC関数

| | A | B |
|---|---|---|
| 1 | **氏名** | **フリガナ** |
| 2 | 山田 太郎 | =PHONETIC(A2) |
| 3 | 田中 一郎 | |
| 4 | 高橋 花子 | |

| | A | B |
|---|---|---|
| 1 | **氏名** | **フリガナ** |
| 2 | 山田 太郎 | やまだ たろう |
| 3 | 田中 一郎 | たなか いちろう |
| 4 | 高橋花子 | 高橋花子 |

「高橋 花子」にはフリガナがない

「ア／亜」ボタン または

Alt ＋ Shift ＋ ↑

| | A | B |
|---|---|---|
| 1 | **氏名** | **フリガナ** |
| 2 | 山田 太郎 | やまだ たろう |
| 3 | | たなか いちろう |
| 4 | たかはしはなこ<br>高橋花子 | 高橋花子 |

| | A | B |
|---|---|---|
| 1 | **氏名** | **フリガナ** |
| 2 | 山田 太郎 | やまだ たろう |
| 3 | 田中 一郎 | たなか いちろう |
| 4 | 高橋花子 | たかはしはなこ |

正しいフリガナを入力する　　　　　　正しいフリガナが設定できた

# Excel作業は「入力」「加工」「出力」で考える

　ここまでデータベースについて説明してきましたが、もう1つ大事なことがあります。それは、Excel作業を「入力」「加工」「出力」の3つに分けて考える、ということです。

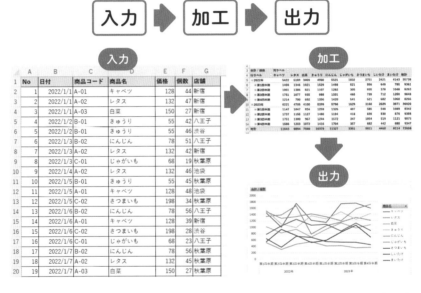

　「え、どういうこと？」と思いましたか？　まずはExcelの間違った使い方について説明します。

## Excelの間違った使い方

　Excel初心者はどうするかというと、いきなり「出力」から始めてしまうのです。

　こんな感じの出力用（他人に見せる用）の表に、出どころがよくわからない合計値を直接入力します。

　さらに、そこに学習して使えるようになったExcelの数式や関数、塗りつ

ぶしや罫線などをふんだんに使って自己満足します。みなさん、このようにExcelを使っていませんか?

## 人に見せる用の表に
## どこかで集計した値を入れる

| | | 製品 | | | 総計 |
|---|---|---|---|---|---|
| | | A | B | C | |
| 京都 | 清水 | 318680 | 251740 | 237150 | |
| | 谷川 | 351810 | 447730 | 489660 | |
| | 支社計 | | | | |
| 大阪 | 佐藤 | 404580 | 361290 | 345150 | |
| | 小林 | 475320 | 368600 | 354370 | |
| | 支社計 | | | | |
| 東京 | 田中 | 194520 | 355240 | 443040 | |
| | 鈴木 | 417470 | 504700 | 234480 | |
| | 支社計 | | | | |
| 名古屋 | 小松 | 367540 | 372010 | 303170 | |
| | 水野 | 453130 | 310030 | 357280 | |
| | 支社計 | | | | |
| 総計 | | | | | |

## 計算式で残りを計算

| | | 製品 | | | 総計 |
|---|---|---|---|---|---|
| | | A | B | C | |
| 京都 | 清水 | 318680 | 251740 | 237150 | 807570 |
| | 谷川 | 351810 | 447730 | 489660 | 1289200 |
| | 支社計 | 670490 | 699470 | 726810 | 2096770 |
| 大阪 | 佐藤 | 404580 | 361290 | 345150 | 1111020 |
| | 小林 | 475320 | 368600 | 354370 | 1198290 |
| | 支社計 | 879900 | 729890 | 699520 | 2309310 |
| 東京 | 田中 | 194520 | 355240 | 443040 | 992800 |
| | 鈴木 | 417470 | 504700 | 234480 | 1156650 |
| | 支社計 | 611990 | 859940 | 677520 | 2149450 |
| 名古屋 | 小松 | 367540 | 372010 | 303170 | 1042720 |
| | 水野 | 453130 | 310030 | 357280 | 1120440 |
| | 支社計 | 820670 | 682040 | 660450 | 2163160 |
| 総計 | | 2983050 | 2971340 | =E5+E8+E11+E14 | |

「え、それダメなの？　普段からそうやってるよ」←ダメです！

　あなたが合計値や数式・関数を間違えることなく入力して、求めていた表の数値が正しかったとしましょう。ですが、集計した元データに記入漏れが見つかったとしたらどうですか？　この集計表を正しく直すのってめちゃ大変なんですけど、わかりますか？　「あっちを直したらこっちも直して……」となって、頭の中でこんがらがって修正不能となり、すべてを初めからやり直すという大惨事が起こってしまいます。

　そう、それはExcelの間違った使い方をしているから起こりうることなのです。私は何回もその大惨事を経験したので、このChapter 5を、しっかりと読んでくださいね。

## Excelの正しい使い方

　先ほどもお伝えした通り、Excel作業は「入力」「加工」「出力」の3つに分けられます。

- ・入力：Excelにデータを入力・転記する
- ・加工：入力されたデータを処理・計算する
- ・出力：処理・計算した結果をレポートや印刷物として出力する

　それぞれのフェーズで利用する機能や関数は異なります。今あなたが行っているExcel作業は、どのフェーズなのかを意識するようにしましょう。そうすれば、あなたのExcel力は格段に飛躍します。いくらExcelの機能や関数をたくさん知っていて使えても、「入力」「加工」「出力」を意識していないと、全く意味がありませんからね。

　Chapter 5-1「データベースとは？」でもお伝えしたとおり、入力は重要です。入力についてもっと詳しく知りたい人は、Office TANAKAの田中亨先生が書かれた『Excelの本当に正しい使い方』（日経BP）を読んでみてください。こういう考え方があるのを知ることが、Excelを使う上で超大事なんです。

# Chapter 6

# グラフの基本

# グラフの作り方

　Chapter5までで、関数を使ったデータの処理方法や、データベース形式でのデータの整理方法について紹介してきました。ですが、いくらデータをきれいに整理したところで、その数字の意味するところが相手に伝わらなければ意味がありません。そこで登場するのがグラフです。グラフは数字をビジュアル化して、見る人の脳にダイレクトに訴えることができます。そんなグラフ作成の基本を見ていきましょう。

## グラフの挿入方法

　グラフの挿入はとても簡単です。グラフは、「挿入」タブの［グラフ］から作成します。Excel初心者としては「グラフ」タブにして欲しかったところですが、残念ながら「挿入」タブなんです。Excelにとってグラフは「挿入」するものなんです。まずはグラフにしたいデータの一部を選択した状態で、「挿入」から作成したいグラフを選択します。今回は「集合縦棒」を選択してみましょう。

❶「挿入」タブの［縦棒・横棒グラフの挿入］をクリックすると挿入可能な縦棒・横棒グラフの種類が表示される。

❷「2-D縦棒」の［集合縦棒］をクリックする。

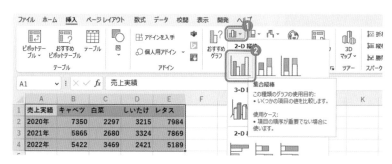

「挿入」タブの［グラフ］

　すると、グラフが同じシート内に作成されます。

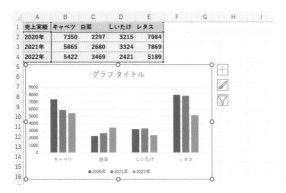
グラフがシート内に作成される

　今回は**棒グラフ**を選択しましたが、Excelではこの他に**円グラフ**や**折れ線グラフ**、**散布図**などさまざまな種類のグラフが用意されています。どんなグラフをどんな場面で使えばいいかは、Chapter 6-3も参考にしてみてください。

## 一部のデータを選んで挿入する

　グラフを作成するときは、必ずしもデータのすべてを使いたいとは限りませんよね。使いたいデータだけを選んでグラフにすることもできます。
　一部のデータを選んで表示したいときは、「**データの選択**」です。[データソースの選択]ダイアログに縦軸と横軸の項目が表示されるので、表示したくない項目のチェックを外して［OK］を押すと、チェックのある項目だけのグラフになります。この例では、2020年のデータを選択しなかったので、2021年と2022年のデータだけが表示されています。

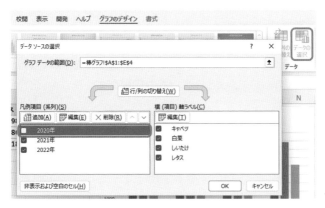
「データの選択」から、
一部のデータを選ぶ

## 行と列、系列を入れ替える

　Excelでグラフを作成していると、「行と列が思っていたのと逆になってる！」「商品ごとじゃなくて年ごとにまとめたいのに！」というときがよくあります。そういうときはまとめて「行/列の切り替え」を使います。

　この節の冒頭で作成したグラフで見てみましょう。グラフを選択し、「グラフのデザイン」タブの［行/列の切り替え］ボタンをクリックします。

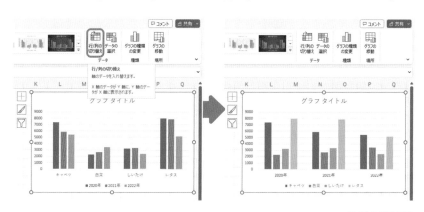

行/列の切り替え

　変更前は野菜ごとに年間の売上実績がまとめられていますが、系列を入れ替えたことによって、年ごとにそれぞれの野菜の金額が表示されています。

　この後の例では、それぞれの野菜の売上実績が、年ごとにどのように変化しているかがみられるようにするために、入れ替え前のグラフを使うことにします。

## グラフのデザインを変更する

　デフォルトで設定されているグラフのデザインは、特別に見やすいわけでもなく、また見栄え的にもちょっといまいちな印象です。そこで、デザインを変更してみましょう。

　グラフ横の［グラフ スタイル］をクリックすると、「スタイル」タブにデザインが表示されます。気に入ったデザインを選択すると、デザインが変更されます。

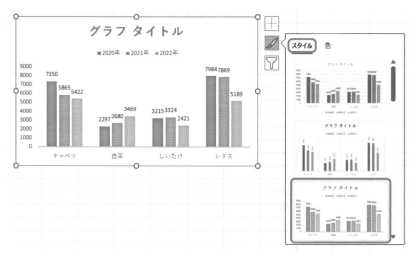

グラフのデザインの変更

　グラフの色を変えるには、「色」タブをクリックし、変更したい色のパターンをクリックして選択します。

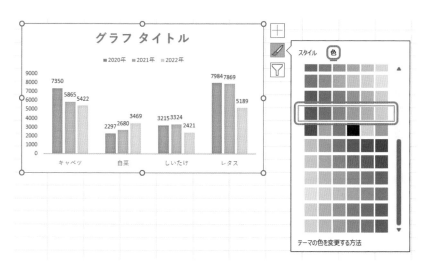

グラフの色の変更

# 伝わるグラフはこう！

## グラフは初期設定のまま使ってはいけない

　Excelのグラフは、実は結構細かく設定できます。見やすさを向上するために必要な設定方法をここで紹介します。

## グラフ要素の名称

　［データ範囲を選択］→［挿入］→［グラフ］をクリックしてグラフを作成すると、右上に「＋」「筆」「漏斗」が出てきますよね。それぞれ、「グラフ要素」「グラフスタイル」「グラフフィルター」の設定が行えます。

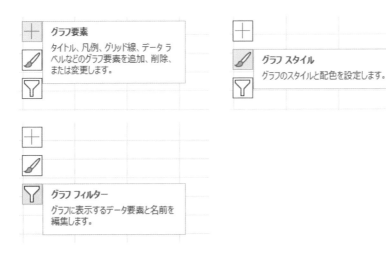

## グラフ要素

　一番上の「＋」でグラフ要素を追加できます。「グラフ要素」は、グラフを構成する要素です。こちらをご覧ください。これは棒グラフの「グラフ要素」ですが、円グラフや折れ線グラフでもほぼ同じです。

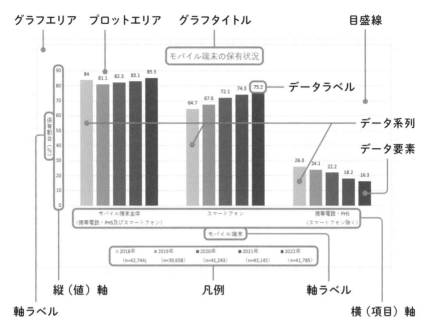

| グラフエリア | プロットエリア | グラフタイトル | | 目盛線 |

データラベル

データ系列

データ要素

縦（値）軸　　　　　　凡例　　　　　軸ラベル

軸ラベル　　　　　　　　　　　　　　横（項目）軸

　たとえば棒をクリックすると、データ系列の棒すべてが選択されます。さらにもう一度押すと、クリックした棒だけが選択されます。

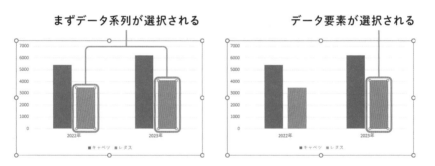

まずデータ系列が選択される　　　データ要素が選択される

　この他の要素も同様にして選択できます。

## グラフタイトルはセル参照で

　グラフのタイトルって、作っているうちに変更したくなることがありますよね。Excelの**グラフタイトル**は直接変更することもできますが、ワークシート上のセルを参照して、それを表示することもできます。こうしておけば、セル上で表のタイトルが変わっても、いちいち手動でグラフタイトルまで修正する必要がなくなります。

　グラフタイトルをセル参照する方法は、こうです。

　まず、グラフタイトルをクリックします。数式バーに「＝（イコール）」を入力し、続けてA1セルをクリックします。すると、「棒グラフ!$A$1」のように「(シート名)！(絶対参照のセル名)」という形でセル参照が入力されます。

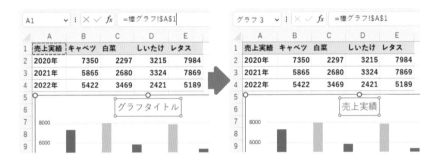

## ノイズを減らせ！

　Excelのグラフの初期状態では、余計なものがたくさん含まれています。たとえば目盛線をみてください。この例では1000単位で細かく目盛線が引かれています。このグラフを見るときに、こんなに細かい目盛りが必要でしょうか？　要らないですよね😌　データにどんな変化があるのか、大まかにわかればいいはずです。

　そこで、軸の目盛りを2000単位にしてみましょう。グラフ右側の「**＋**」をクリックして［**グラフ要素**］を開きます。［軸］の右の［＞］をクリックすると表示される［**その他のオプション**］をクリックしてください。

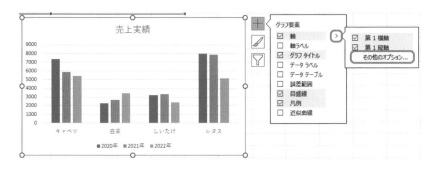

　右側に表示される［軸の書式設定］パネルの［軸のオプション］をクリックして、［縦（値）軸］を選択します。

　［軸のオプション］をクリックして開き、［最大値］を「8000」に、［単位］の［主］を「2000」に設定してください。

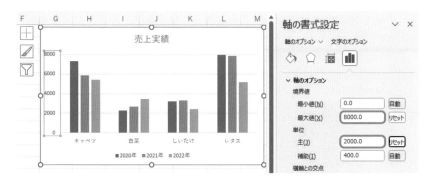

　たったこれだけの設定でも結構スッキリした印象になりませんか？　余計な情報＝ノイズは積極的に減らして、伝わるグラフを目指しましょう！

# オプションを使いまくれ

　初期設定のグラフには、ノイズばかりではなく、物足りない部分もかなりあります。先ほどのグラフも次のようにオプションで調整して、改良してみましょう。

● データの数値をデータ系列の上に表示したい
　［グラフ要素］→［データラベル］→［その他のオプション］→［ラベルオプション］とクリックし、「値」にチェックを入れる

● グラフの色を減らして、ユニバーサルデザインに対応したい
　［グラフスタイル］をクリックして、［色］の設定を変更

● 縦軸にラベルをつけたい
　［グラフ要素］をクリックして［軸ラベル］→［第1縦軸］にチェックを入れる

● 系列間を詰めて、データ自体の幅も太くしたい
　データ系列をクリックして［データ系列の書式設定］パネルを開き、［系列のオプション］→［系列の重なり］［要素の間隔］を調整

● 軸やラベルの文字を大きくしたい
　軸やラベルを選択して、［ホーム］タブ→［フォントサイズ］を調整

● 目盛線を点線に変更したい
　目盛線をクリックして、［目盛線の書式設定］パネル→［塗りつぶしと線］→［線］と開き、［実線／点線］から使いたい線種を選択

これらの設定を適用すると、こんな感じになります。みやすいですね。

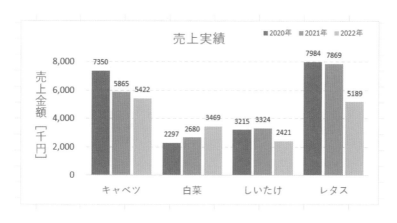

# Ch 6-3 いろいろなグラフ

グラフの基本

Excelではいろんな種類のグラフを作成できますが、ここではよく使われる3種類のグラフを紹介します。棒グラフは先に見たので、省略します。

## 折れ線グラフ

折れ線グラフは、データの時間推移をみたいときによく使われますね。そんな折れ線グラフでおすすめの表示方法として、**数値付きマーカー**というものがあります。天気予報のように、1つ1つのプロットの値を表示しておきたいときに使えます。ただし、「使えます」といっても、そういう名前の機能があるわけではありません 🖐 「**データラベル**」と「**マーカー**」の設定を工夫して、データを見やすくするワザです。

まずは［挿入］タブ→［**マーカー付き折れ線**］でグラフを挿入します。

データ系列を右クリックして、［**データ系列の書式設定**］をクリックします。

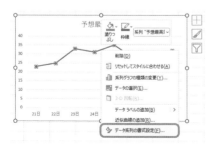

右側の［データ系列の書式設定］のパネルの［塗りつぶしと線］をクリックして、［マーカー］→［**マーカーのオプション**］を開き、［組み込み］を選択します。［種類］を「○」に、［サイズ］を「20」に設定します。また、［塗りつぶし］の［色］を白に設定して、マーカーの中身を白くします。

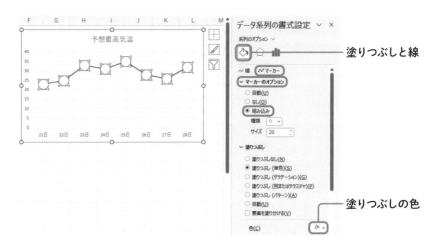

　グラフ右の「＋」をクリックして、［グラフ要素］→［データラベル］の右の［＞］をクリックして、［中央揃え］を選択すると、データの数値がマーカーの中に表示されます。

　データラベルを大きく、ボールドに設定して数値をみやすくすれば出来上がりです（軸の最大最小値も調整しました）。

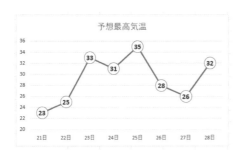

# 円グラフ

　円グラフは、全体を構成するデータの割合を視覚的に比べたいときに使います。

　たとえば年代別の人口を比べる円グラフをExcelの初期設定で作成すると左のようになります。円グラフは割合を比較するのに便利ですが、項目が多くなるとぐちゃっとした印象になり、見やすさが低下します。そこでおすすめしたいのはドーナツの円グラフです。中心に穴が空いていて、スッキリとしたグラフになります。[挿入] タブの [円またはドーナツ グラフの作成] から、[ドーナツ] をクリックして挿入できます。右のようになります。

　普通の円グラフに比べると見やすいのですが、やはり初期設定のままだとイマイチな点が結構あります。凡例を見て、年代と色の対応関係を理解するところから始めないといけませんし、色が多くてあまり目に優しくない感じもします。中心部分にスペースができたので、ここにタイトルを入れてもいいかもしれません。これらを改良したのが次のグラフです。

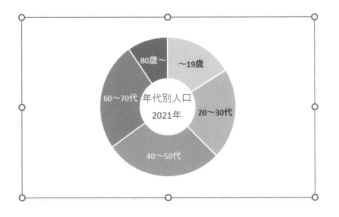

設定方法は詳しく説明しませんが、ここまで見てきたことを踏まえて、オプションをいろいろと調べてみてください。そんなに難しいことはないはずです。

## 組み合わせ

　最後に紹介するのは「複合グラフ」です。これは2種類のグラフを組み合わせて表示するもので、データの関係などを調べたいときに使います。

　たとえば、次のグラフは冬期の気温と使い捨てカイロの購入金額です。2つのデータを用意して、［挿入］タブ→［複合グラフの挿入］の中から［組み合わせ］をクリックして挿入します。

　上のグラフは気温が下がるほど使い捨てカイロがよく購入されていることがひと目でわかりますね。このグラフも初期設定ではこんな感じですが、これまでに見てきたことを踏まえて改良したのが下のグラフです。

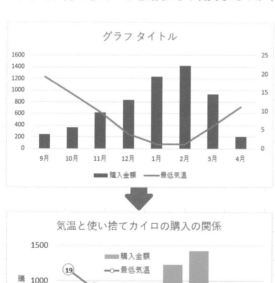

# Chapter 7

その他、
知っておきたい
TIPS

# データベースの真価を発揮！「ピボットテーブル」

ピボットテーブルって知っていますか？　テーブルとは少し違います。Excel初心者だった私は、Excelを勉強するまでその存在すら知りませんでした。ですが、このピボットテーブル、超便利な神機能なので、ぜひ使ってみてください。

　前述しましたが、データベース形式は超重要です。データベース形式でデータを蓄積していけば、後から集計方法を変えたくなっても柔軟に対応できるからです。私がこのことを決定的に重要だと認識したのが、ピボットテーブルとの出会いです。

　ピボットテーブルがなんとなく難しそうと思っている人も、とりあえず触ってみましょう。本当に超簡単に集計ができるようになりますから。

## 簡単操作でデータ集計

　ピボットテーブルを作るには、まずはデータベースが必要です。今回はこんなデータを用意しました。

| | A | B | C | D | E |
|---|---|---|---|---|---|
| 1 | 日付 | 商品名 | 売上 | 店舗 | |
| 2 | 2022/1/1 | キャベツ | 5632 | 新宿 | |
| 3 | 2022/1/1 | レタス | 6204 | 新宿 | |
| 4 | 2022/1/1 | 白菜 | 4050 | 新宿 | |
| 5 | 2022/1/2 | きゅうり | 2310 | 八王子 | |
| 6 | 2022/1/2 | きゅうり | 2530 | 渋谷 | |
| 7 | 2022/1/3 | にんじん | 3978 | 八王子 | |
| 8 | 2022/1/3 | レタス | 5544 | 新宿 | |
| 9 | 2022/1/3 | じゃがいも | 1292 | 秋葉原 | |

　カーソルが表の中にある状態で、[挿入] タブ→ [ピボットテーブル] をクリックします。

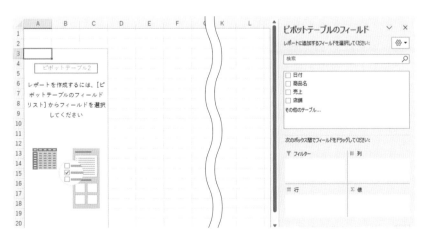

「テーブルまたは範囲からのピボットテーブル」ウィンドウが表示されるので、テーブルの範囲を確認し、ピボットテーブルを配置する場所が「新規ワークシート」に指定されていることを確認し、[OK] をクリックします。

新しくワークシートが作成され、そこにピボットテーブルが作成される領域が表示されます。

ここからがピボットテーブルの感動的なところです。右側の「ピボットテーブルのフィールド」にデータベースの項目名がリストされています。その下に「フィルター」「列」「行」「値」のスペースがあります。ここに、集計したい項目をドラッグ＆ドロップするだけです。

　試しに「日付」を「列」に、「店舗」と「商品名」を「行」に、「売上」を「値」にドラッグ＆ドロップしてみましょう。こうなるはずです。

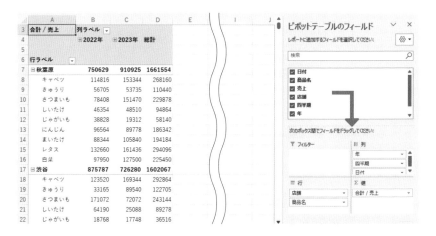

　初めてピボットテーブルを作ったという方、驚きませんか！？　こんな集計表、関数と式を使って作っていたらめちゃくちゃ時間がかかっちゃいますよね。ピボットテーブルの機能を使えば、文字通り一瞬でできてしまうのです。

　先ほど見た「列」の欄を見てください。「日付」以外に、「四半期」や「年」なども自動で追加されています。日付データの場合は、気を利かせてこういった項目も入れてくれるんですね。四半期などを表示するには、テーブルの年の左にある［＋］アイコンをクリックしてみてください。

| | A | B | C | D | E | F | G | H |
|---|---|---|---|---|---|---|---|---|
| 3 | 合計 / 売上 | 列ラベル ▼ | | | | | | |
| 4 | | ⊟2022年 | | | | 2022年 集計 | ⊟2023年 | |
| 5 | | ⊞第1四半期 | ⊞第2四半期 | ⊞第3四半期 | ⊞第4四半期 | | ⊞第1四半期 | ⊞第2四半期 |
| 6 | 行ラベル ▼ | | | | | | | |
| 7 | ⊟秋葉原 | 227456 | 169431 | 237247 | 116495 | 750629 | 194398 | 235739 |
| 8 | キャベツ | 29056 | 19456 | 49536 | 16768 | 114816 | 16384 | 43392 |
| 9 | きゅうり | 13530 | 13915 | 13365 | 15895 | 56705 | 7920 | 15785 |
| 10 | さつまいも | 21582 | 20790 | 22770 | 13266 | 78408 | 13266 | 54054 |
| 11 | しいたけ | 9800 | 7350 | 19012 | 10192 | 46354 | 18914 | 15288 |
| 12 | じゃがいも | 13532 | 5848 | 11016 | 8432 | 38828 | 2788 | 5304 |
| 13 | にんじん | 25584 | 25272 | 31746 | 13962 | 96564 | 24726 | 13026 |
| 14 | まいたけ | 21384 | 24516 | 30564 | 11880 | 88344 | 37368 | 11880 |
| 15 | レタス | 47388 | 27984 | 40788 | 16500 | 132660 | 39732 | 43560 |
| 16 | 白菜 | 45600 | 24300 | 18450 | 9600 | 97950 | 33300 | 33450 |
| 17 | ⊟渋谷 | 178261 | 230276 | 272222 | 195028 | 875787 | 154468 | 177816 |
| 18 | キャベツ | 22144 | 30336 | 33792 | 37248 | 123520 | 31104 | 29952 |
| 19 | きゅうり | 13915 | 10670 | 3300 | 5280 | 33165 | 24970 | 15070 |
| 20 | さつまいも | 34056 | 67716 | 44946 | 24354 | 171072 | 21780 | 25146 |
| 21 | しいたけ | 15974 | 11368 | 10584 | 26264 | 64190 | 2156 | 4606 |
| 22 | じゃがいも | 4284 | 2108 | 7616 | 4760 | 18768 | 4012 | 4420 |

　ちなみに、ピボットテーブルの集計値をどれか1つダブルクリックして
みてください。

| | A | B | C | D | E | F | G | H |
|---|---|---|---|---|---|---|---|---|
| 3 | 合計 / 売上 | 列ラベル ▼ | | | | | | |
| 4 | | ⊟2022年 | | | | 2022年 集計 | ⊟2023年 | |
| 5 | | ⊞第1四半期 | ⊞第2四半期 | ⊞第3四半期 | ⊞第4四半期 | | ⊞第1四半期 | ⊞第2四半期 |
| 6 | 行ラベル ▼ | | | | | | | |
| 7 | ⊟秋葉原 | 227456 | 169431 | 237247 | 116495 | 750629 | 194398 | 235739 |
| 8 | キャベツ | 29056 | 19456 | 49536 | 16768 | 114816 | 16384 | 43392 |
| 9 | きゅうり | 13530 | 13915 | 13365 | 15895 | 56705 | 7920 | 15785 |
| 10 | さつまいも | 21582 | 20790 | 22770 | 13266 | 78408 | 13266 | 54054 |
| 11 | しいたけ | 9800 | 7350 | 19012 | 10192 | 46354 | 18914 | 15288 |
| 12 | じゃがいも | 13532 | 5848 | 11016 | 8432 | 38828 | 2788 | 5304 |
| 13 | にんじん | 25584 | 25272 | 31746 | 13962 | 96564 | 24726 | 13026 |
| 14 | まいたけ | 21384 | 24516 | 30564 | 11880 | 88344 | 37368 | 11880 |
| 15 | レタス | 47388 | 27984 | 40788 | 16500 | 132660 | 39732 | 43560 |
| 16 | 白菜 | 45600 | 24300 | 18450 | 9600 | 97950 | 33300 | 33450 |
| 17 | ⊟渋谷 | 178261 | 230276 | 272222 | 195028 | 875787 | 154468 | 177816 |
| 18 | キャベツ | 22144 | 30336 | 33792 | 37248 | 123520 | 31104 | 29952 |
| 19 | きゅうり | 13915 | 10670 | 3300 | 5280 | 33165 | 24970 | 15070 |
| 20 | さつまいも | 34056 | 67716 | 44946 | 24354 | 171072 | 21780 | 25146 |
| 21 | しいたけ | 15974 | 11368 | 10584 | 26264 | 64190 | 2156 | 4606 |
| 22 | じゃがいも | 4284 | 2108 | 7616 | 4760 | 18768 | 4012 | 4420 |

———ダブルクリック

　すると、詳細データの一覧が別シートに表示されます！　これ、何気に
すごくないですか？

| | A | B | C | D |
|---|---|---|---|---|
| 1 | 日付 ▼ | 商品名 ▼ | 売上 ▼ | 店舗 ▼ |
| 2 | 2022/5/23 | きゅうり | 2365 | 秋葉原 |
| 3 | 2022/6/27 | きゅうり | 3300 | 秋葉原 |
| 4 | 2022/6/22 | きゅうり | 2750 | 秋葉原 |
| 5 | 2022/6/7 | きゅうり | 2970 | 秋葉原 |
| 6 | 2022/6/2 | きゅうり | 2530 | 秋葉原 |

## 集計項目の変更も、ドラッグ＆ドロップで一瞬！

　数式を駆使して集計表を作っている中、「やっぱりあの項目も追加してくれないかな？」みたいな依頼が来たら、いくらデータベース形式を使っていても、それなりの作業が必要ですよね。でも、ピボットテーブルなら一瞬でできてしまいます。

　たとえば先ほどの集計表、横方向に時系列の変化が見て取れるデータになっています。これを店舗と商品のクロス集計に変更したいと思います。

　まず、「列」の「年」「四半期」「日付」を削除します。項目上でクリックして「フィールドの削除」をクリックしても良いですが、ドラッグ＆ドロップでシート上に持っていくとマウスポインターに「×」マークがつき、マウスのボタンから指を離せばそのまま削除できます。

　さらに「行」にある「商品名」をドラッグ＆ドロップして「列」に移動します。これだけで、クロス集計表の完成です。

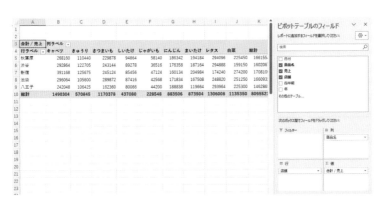

　いかがでしょうか？　こんな変更、関数や式を使って作っていたら大変な作業ですよね。ピボットテーブルを使えば、行と列に何を当てはめるか、値を何にするかをドラッグ＆ドロップするだけで、集計表が一瞬で変更できてしまうのです。

# うまく作るには「データベース形式」が重要

　ピボットテーブルがいかに便利な機能かということはおわかりいただけたと思います。でも、いざ自分で作ってみようとしても、うまくいかないこともあると思います。その原因は、元のデータベースに不備があることが多いです。

　たとえば、先ほど「日付」を「列」に指定したとき、自動的に「四半期」「年」というフィールドが追加されましたよね。これは「日付」のデータが日付データであるということがExcelに正しく伝わったから、気を利かせてもらえたわけです。ところが、次の場合はどうでしょう。

| | A | B | C | D |
|---|---|---|---|---|
| 1 | 日付 | 商品名 | 売上 | 店舗 |
| 2 | 2022/1/1 | キャベツ | 5632 | 新宿 |
| 3 | 2022/1/1 | レタス | 6204 | 新宿 |
| 4 | 2022/1/1 | 白菜 | 4050 | 新宿 |
| 5 | 2022/1/2 | きゅうり | 2310 | 八王子 |
| 6 | 2022/1/2 | きゅうり | 2530 | 渋谷 |
| 7 | 2022/1/3 | にんじん | 3978 | 八王子 |
| 8 | 2022/1/3 | レタス | 5544 | 新宿 |
| 9 | 2022/1/3 | じゃがいも | 1292 | 秋葉原 |
| 10 | 2022/1/4 | レタス | 6072 | 池袋 |
| 11 | 2022/1/5 | きゅうり | 2475 | 秋葉原 |
| 12 | 2022/1/5 | キャベツ | 6144 | 池袋 |
| 13 | 2022/1/5 | さつまいも | 6732 | 秋葉原 |
| 14 | 2022/1/6 | にんじん | 4368 | 八王子 |
| 15 | 2022/1/6 | キャベツ | 4992 | 新宿 |
| 16 | 2022/1/6 | さつまいも | 5544 | 渋谷 |

「日付」が「2022/1/1」のデータの1つ目「キャベツ」のみ、日付が文字列データになっています。このままピボットテーブルを作成すると、こうなります。

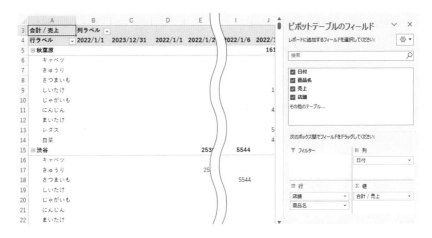

　たった1つ、文字列があるために「なんだこのデータ列、日付だけじゃ
ないのか。よくわからないからバラして表示しとくか」と、Excelさんに諦
められてしまっています。

　ピボットテーブルがうまく作れないのは、こういったデータ形式の不一
致や、セルが結合されていたり、表が途切れていたり、1セル1データが守
られていなかったり……。こうして見ると、データベース形式を守ること
がいかに大事なことか、よくわかりますね！

# Ch 7-2

その他、TIPS

# 印刷のテクニック

Excelで作成した資料は、パソコンのディスプレイ上に表示して見るだけでなく、紙の資料として印刷して配布する場合もあります。ただ、思ったように印刷できず、見にくくなってしまった経験もありますよね。

Excelはとても高機能な表計算ソフトですが、うまく印刷したり、人に見せるために気を利かせた資料を作ったりするには、ちょっとしたコツが要ります。このSECTIONでは、そんな印刷のテクニックを紹介したいと思います。

## 印刷範囲は改ページプレビューで確認

表を印刷してみたら、1列だけ次のページにはみ出てしまったという経験、ありますよね。「それぐらい気を利かせてくれや！」←言いたくなります🙄 実は、どの範囲がどのページに印刷されるかは、前もって改ページプレビューで確認できます。[表示] タブ→ [改ページプレビュー] をクリックしてください。

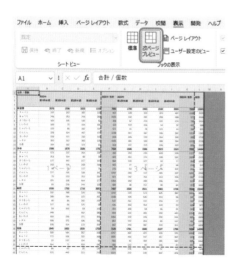

青い実線が印刷範囲で、青い点線がページの区切りです。先ほどの例だと、印刷範囲が6ページにわたって印刷されます。

　さて、1つの表をこんなふうに6枚に分けて渡されたらどう思いますか？「はぁ？　この表を読めってのか！？」って思いますよね。表が途切れまくっていて、見にくくて仕方ありません。印刷の設定を変えて、見やすくしていきましょう。

## 用紙の向きを変える

　この例では上下に2分割しても見にくくはならなそうです。また、文字の大きさなどのバランスを考えると、ページを横向きにするのが良さそうです。

　まず、[ファイル]タブ→[印刷]をクリックします。すると、画面左側には設定項目があり、右側に印刷プレビューが表示されます。[縦方向]と書かれているボタンをクリックして、[横方向]を選択します。

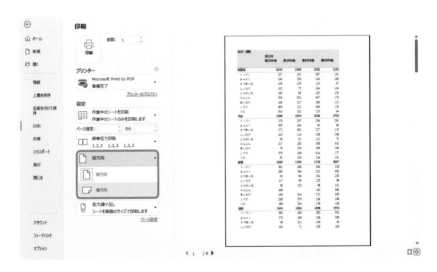

　この段階で改ページプレビューを見ると、こんな感じです。

　まだ右側が改ページされてしまいますね。少し倍率を小さくして、すべて入るようにしましょう。また印刷設定の画面に戻り、[拡大縮小なし] と書かれた部分をクリックし、[すべての列を1ページに印刷] を選択します。

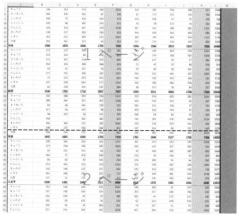

　これは、印刷範囲の列全体を基準として倍率を自動で調整してくれます。行を基準にしたい場合は、[すべての行を1ページに印刷] を選択します。

　これでもう一度改ページプレビューを見てみましょう。

　2ページに収まりましたね。多少文字を小さくしても、1ページに収めた方が表は見やすくなります。

# 見出し行を設定して見やすく印刷

　初めに比べるとかなり見やすくはなりましたが、まだイマイチな点があります。2ページ目には列の見出しがないので、何のデータなのか確認するには1ページ目に戻る必要があります。各ページに見出しがあってほしいですよね。そんなときは［ページレイアウト］タブ→［印刷タイトル］をクリックして、「ページ設定」を開きます。［シート］タブが開かれているので、「印刷タイトル」の「タイトル行」を、各ページで表示したいタイトル行に指定します。今回の例では「$A$1:$L$4」としました。

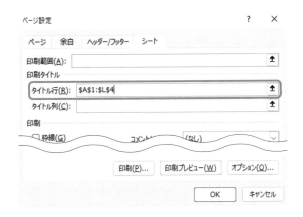

　印刷プレビューを確認すると、確かに2ページ目の一番上の行が、今指定したタイトル行になりました。

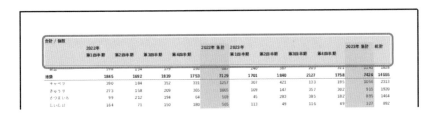

# 細かい部分にもこだわる

　もう一点、「新宿」のデータが1ページ目と2ページ目に分かれているのが気になりますね。少し縮小すれば収まりそうなので、調整しましょう。

［すべての列を1ページに印刷］→［拡大縮小オプション…］をクリックします。ページ設定ウィンドウが開くので、「拡大縮小印刷」の［拡大／縮小］ボタンをチェックし、倍率を変更します。今回はサンプルファイルにあわせて「77%」に設定します。

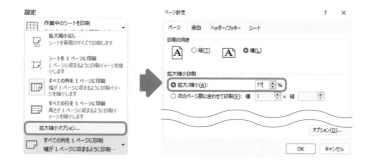

印刷プレビューで見ると、2ページ目は「池袋」のデータから始まるようになりました。変に途切れないので、資料として見やすくなりました。

| 合計 / 個数 | 2022年 | | | | 2022年 集計 | 2023年 | | | | 2023年 集計 | 総計 |
|---|---|---|---|---|---|---|---|---|---|---|---|
| | 第1四半期 | 第2四半期 | 第3四半期 | 第4四半期 | | 第1四半期 | 第2四半期 | 第3四半期 | 第4四半期 | | |
| 池袋 | 1845 | 1692 | 1839 | 1753 | 7129 | 1701 | 1840 | 2127 | 1758 | 7426 | 14555 |
| キャベツ | 390 | 184 | 352 | 331 | 1257 | 307 | 421 | 133 | 195 | 1056 | 2313 |
| きゅうり | 273 | 158 | 209 | 365 | 1005 | 109 | 147 | 357 | 302 | 915 | 1920 |
| さつまいも | 99 | 212 | 194 | 64 | 569 | 45 | 283 | 385 | 182 | 895 | 1464 |

頑張って作った表も、最後で気を抜いて見にくくなってしまっては、その努力も水の泡です。細かいところまで気を配りましょう！ 改ページ位置の青線を選択して改ページ位置を変える方法もありますので、ファイルにあわせて試してみてください。

ちなみに、他にも各ページに表示するヘッダーやフッターの設定もできます。印刷設定を活用して見やすさを追求してみてください！

## PDFに変換する方法

印刷プレビューを信じないでください。「え？ さっきまで散々印刷プレビューで確認してきたのに！？」とお思いかもしれません。いや、印刷プレビューはほぼ正しいのですが、フォントや罫線などの具合で、実際の印刷と違う場合が稀にあります😖 そんなとき、頼りになるのがPDFです。PDFは文書の表示用のファイル形式で、実際の印刷とデータ上での表示がほ

ぼ完全に一致します。どうしても印刷とプレビューが違ってしまう場合は、
一旦PDFで確認してみましょう。

　PDFに出力するには、［ファイル］タブ→［エクスポート］→［PDF/XPS
ドキュメントの作成］をクリックすると、出力先とファイル名を指定する
ダイアログが表示されます。適宜入力して［発行］ボタンをクリックします。

　PDFをビューワーで開くと、先ほど設定した通りに表が表示されます。

　PDFのさらに良いポイントは、基本的にデータを修正したり書き換えたり
できないことです。そのため、電子データとして資料を渡すには、Excelフ
ァイルで渡すよりもPDFファイルで渡す方が良い場合もあります。

# マクロという存在

## そもそもマクロとは

**マクロ**とは簡単に言えばExcelのあらゆる操作を自動化できる機能です。

自動化したい操作をあらかじめExcelに指示しておくと、Excelはそれに従って、一瞬でその操作を実行してくれます。たとえば、「47都道府県の名前のフォルダをまとめて作る」こともできます。

これ、自動化できなければ、1つ1つフォルダを手作業で作る羽目になりますよね。しかし、マクロを組んでおけば、一瞬で終わります。マクロを組むとは、**VBA（Visual Basic for Applications）** と呼ばれるプログラミング言語で、プログラムを組むことです。プログラミング言語と言うと難しく感じるかもしれませんが、マクロが使えるから上級者だということではありません。一歩ずつやっていけばできるようになりますし、まずは「名前を知る」ことが大事です。

## マクロデビューしてみよう

多くのExcelの書籍で最初に作るマクロの例は、「A1セルに100と入力し、太字にする」という感じのものがほとんどです。私がマクロ初心者だったとき、「え？　そんなの普通にやった方がはやいやん！」って思いました。もちろん、基本が大事なのはわかりますよ。でも、最初の段階で「マクロって大したことないな」と思ってしまっては、やる気も続きませんよね。

だからこそ、都道府県のフォルダを一瞬で作るマクロを紹介しました。

とはいえ、これは、ちゃんと勉強してからでないと1人で作るのは難しいです😣 なので、ここでは「マクロってすげー」「マクロって面白い」となりやすい（と思っている😁）、メッセージボックスを表示するマクロを作ります。

## ［開発］タブを表示させる

マクロを作成するには、初期設定の状態では表示されていない［開発］タブを表示する必要があります。［ファイル］タブ→［オプション］をクリックし、「Excelのオプション」ウィンドウを表示します。

左側の［リボンのユーザー設定］をクリックし、［メインタブ］にある［開発］をクリックして、チェックを入れてください。［OK］をクリックしてウィンドウを閉じると、［開発］タブが追加されています。

## VBEを起動する

マクロを作るためには、まずVBEを起動します。「え？　いまからやるのはVBAじゃないの？？」←紛らわしいですよね😣　VBEはVisual Basic

Editorの略で、VBAでマクロのソースコードを書くためのソフトウェアです。［開発］タブ→［Visual Basic］をクリックすると、VBEが起動します。

## メッセージボックスを作成する

まず、［挿入］タブ→［標準モジュール］をクリックします。すると、左の「プロジェクト」ウィンドウのツリーに、「標準モジュール」と、その中に「Module1」が生成されます。

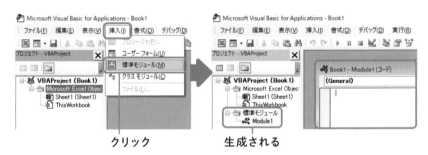

クリック　　　　　　　生成される

Module1のウィンドウに、「sub test」と入力して、Enterを押してみてください。すると、「Sub test()」と先頭が大文字になり、最後に「()」が挿入されます。さらに、2行下に「End Sub」が自動で入力されます。

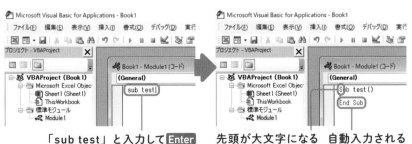

「sub test」と入力してEnter　　先頭が大文字になる　自動入力される

2行目の最初に **Tab** でインデントを入れて、「msgbox "メッセージボックス
が表示されます"」と入力してください。そしてそのままカーソルを動かすと、
「msgbox」が「MsgBox」に自動で変更されます。これでマクロが完成しました。

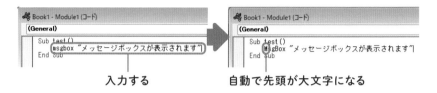

入力する　　　　　　　自動で先頭が大文字になる

## マクロを実行する

作成したマクロは、実行をしないと動きません。カーソルがコード内（1
〜3行目）にある状態で、[▶（Sub /ユーザーフォームの実行）]をクリッ
クすると、Excelのシート上でメッセージボックスが表示されます。

ボタンをクリックする代わりに **F5** を押しても実行できます。

## ボタンで実行できるようにする

VBEから実行するのではなく、シート上に配置したボタンをクリックして、
マクロを実行できるようにしてみましょう。

Excelの[開発]タブ→[挿入]ボタンをクリックし、[ボタン（フォーム
コントロール）]をクリックします。マウスポインターがシート上で十字マ
ークになるので、好きな場所でドラッグして、四角形を作成します。

すると、「マクロの登録」ダイアログボックスが出てくるので、先ほど作成したマクロ「test」を選択し、[OK] をクリックします。

この「ボタン1」に、先ほど作成した「test」というマクロが登録されました。さらにボタンのテキストも変えてみましょう。ボタン上で右クリックして [テキストの編集] をクリックしてボタンのテキストを変更します。

これで完成です。[これを押すと] ボタンをクリックすると、「メッセージボックスが表示されます」というメッセージボックスが表示されました。

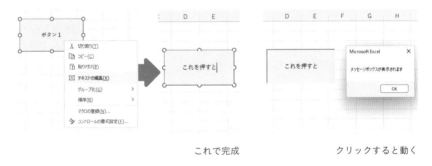

これで完成　　　クリックすると動く

いかがですか？　メッセージボックス自体はVBAを使う人からしたら超基本です。でも知らない人から見たら、ちょっとした感動じゃないでしょうか？私の職場では、これを見せるだけでも「うぉー、すげー」ってなります👻

最後に1つ注意があります。マクロ入りのExcelファイルを保存するときは、ファイルの種類を「Excel マクロ有効ブック（*.xlsm）」にしてください。そうしないと、せっかく作成したマクロが破棄されてしまいます。

Excelを勉強する前の私は、めちゃくちゃなExcelの使い方をしていました。

・並び替えたら計算結果が変わる
・コピペしまくって元データがどれかわからない
・罫線はグチャグチャ
・意味があったはずのセルの塗りつぶしの色が多すぎて意味不明になる
・Excelを開く度に同じ操作を繰り返す

こんな感じです。しかも日中の仕事が終わって夜からExcel作業を行うので、当然夜中まで作業を行っていました。Excelを勉強しなかったら、今でもあの生活が続いていたかと思うと、恐ろしすぎです。いや～マジであのとき一念発起してExcelを勉強してよかった！　当時の俺偉い！

　そんな私が書いた本書『人生を変える　Excelの神スキル』。正直なところ、既存のExcel本にある基本的な内容を、過去の自分に向けて「初めからそう説明してよ！」って感じで1冊にまとめたものです。なので、新しいことはありません。「もっとExcelを勉強したい！」と思ったら、私が読んできたExcel本を読んでみてください。

## 私のExcel本遍歴

『スピードマスター　1時間でわかる　エクセルの操作』（技術評論社）
私が初めて買ったExcel本です。1時間でExcel操作をマスターしようとしましたが、もちろんできません。しかし、私のExcel人生の第一歩を踏み出すことができた本です。他にも『エクセル関数』『VLOOKUP関数』『ピボットテーブル』など、シリーズで出ています。このシリーズを読み漁り、それぞれ1時間でマスターしようとしましたが、当然マスターできません。しかし、基本的なExcel関数、VLOOKUP関数、ピボットテーブルを知ることができました。

『Excel最強の教科書[完全版]』（SBクリエイティブ）
次に買ったのがこれ。Excel本って本屋の奥の方に申し訳なさそうに並んで

る印象でしたが、本屋の一番目立つ所にドドーンとこれが並んでいました。読んだら目から鱗の内容。「そうそう、それ知りたかったやつ！」だらけ。最後の章でマクロの存在を教えてくれました。

『たった1日で即戦力になるExcelの教科書』（技術評論社）
『たった1秒で仕事が片づくExcel自動化の教科書』（技術評論社）
この2冊は、何となく使えるようになった機能やExcel関数の"本当の使い方"を教えてくれました。マクロも教えてもらい、自動化の沼にハマりました。

他には次のような本もおすすめです。

『よくわかるマスターMicrosoft Office Specialist Excel 対策テキスト&問題集』シリーズ（FOM出版）
『Excelの本当に正しい使い方』（日経BP）
『ストーリーで学ぶ Excel VBAと業務改善のポイントがわかる本』（オデッセイ コミュニケーションズ）
『自分のペースでゆったり学ぶ Excel VBA』（技術評論社）
『ExcelVBAを実務で使い倒す技術』（秀和システム）
『Excel VBA 本格入門』（技術評論社）

その後もあらゆるExcel本を読み漁り、Excel作業をどんどん効率化していきました。そしてコロナ禍。Twitterで情報発信を始め、今のExcel医ができ上がり、本書の執筆に至りました。たくさんのExcel本を出してくれた著者様、編集者様、これまで私に関わっていただいたすべての人に感謝いたします。

大丈夫です。あなたの人生は絶対に変わります。だってすでにExcel本を読んで勉強した人になったんですから。普通の人はExcel本を買って勉強なんかしませんし、ましてや「おわりに」を最後まで読みませんよ。
さっさとExcelを開いて、その神スキルを試してください。そしてあなたに本当に必要なExcelの神スキルを解説している、次のExcel本を求めて本屋に行ってください。そうして初めてあなたの人生が変わりますから！

Excel医

# Index

Excel医（エクセルい）
30代内科医。Excel大好き。職場のあだ名は「Excelの神」。
職場の悲惨なデータベースを見てExcelを猛勉強し、初心者レベルからVBAを習得するまでに至る。さらにはユーザーフォームで組織内のシステムを構築。
Excel学習で「業務改善」「生産性向上」「時短」に成功し、人生を変えた。その経験を世の中に発信したく、2020年6月からTwitterを開始。
非IT系のExcel初心者に向けたツイート、わかりやすいツイートがバズり、フォロワー数は16万人を超える。
著書に『Excel医の見るだけでわかる！ Excel最速仕事術』（宝島社）がある。

人生を変える Excelの神スキル

2023年4月28日　初版発行

著者／Excel医

発行者／山下直久

発行／株式会社KADOKAWA
〒102-8177　東京都千代田区富士見2-13-3
電話　0570-002-301(ナビダイヤル)

印刷所／株式会社加藤文明社印刷所

製本所／株式会社加藤文明社印刷所

●お問い合わせ
https://www.kadokawa.co.jp/（「お問い合わせ」へお進みください）
※内容によっては、お答えできない場合があります。
※サポートは日本国内のみとさせていただきます。
※Japanese text only

定価はカバーに表示してあります。

©Exceli 2023　Printed in Japan
ISBN 978-4-04-605415-9　C0055